Contenido

1930-1939: Años de esperanza, tiempos de tragedia

Muchos de los que vivieron en la década de los 30 recordarán más tarde aquellos tiempos con sentimientos contradictorios. Primero, una gran esperanza surgida del 14 de abril de 1931, día en que las gentes ocuparon las calles y plazas de pueblos y ciudades para celebrar la proclamación de una República que, tal vez sin preverlo, había sustituido un sistema como el monárquico de la Restauración, ya caduco, que no había sabido ni podido resolver o encauzar los problemas sociales y de convivencia política de los españoles, recurriendo incluso a una dictadura militar que acabó derrumbándolo definitivamente.

Después, una enorme frustración por los anhelos y proyectos no realizados, con el sufrimiento de una larga guerra civil donde los enfrentamientos entre españoles se medirían con las armas, a raíz de un golpe militar que no triunfó en los primeros momentos y que, ante la resistencia recibida, acabó por identificar las soluciones a los problemas con la aniquilación del contrario.

La República intentó modernizar la sociedad española y solucionar sus problemas históricos, pero no consiguió sobreponerse a los sectores o grupos tradicionales, pese a que las reformas propuestas fueron moderadas: la radicalidad de los discursos no correspondía, en muchos casos, a las realizaciones.

Al final una parte del ejército se levantó, como había sido costumbre, como el único garante del orden y de la unidad del Estado, en medio de un conflicto ideológico, religioso y personal, que no necesariamente tenía que desembocar en un enfrentamiento armado. La imposibilidad de superar los defectos de la estructura social retrasó la incorporación de España a un Estado moderno.

España: siglo XX

1931-1939

Javier Paniagua

Colección: Biblioteca Básica
Serie: Historia

Diseño de la serie: Narcís Fernández

Maquetación: Angel Guerrero

Edición gráfica: Manuel González

Supervisión de estilo: Angeles Navarro Guzmán

Coordinación científica: Joaquim Prats i Cuevas (Catedrático de Instituto y Profesor de Historia de la Universidad de Barcelona)

Coordinación editorial: Juan Diego Pérez González
Enrique Posse Andrada

Primera edición, 1988
Segunda edición, corregida, 1989
Tercera edición, corregida, 1990
I.S.B.N.: 84-207-3364-4
Depósito legal: M-25.040-1990
Impreso por: Gráficas Peñalara, S. A.
Ctra. de Villaviciosa de Odón a Pinto, km 15,180
Fuenlabrada (Madrid)
Impreso en España - Printed in Spain

CONCURSO DE CARTELES
"HOMENAJE A LAS MILICIAS"
CONVOCADO POR LA JUNTA DIRECTIVA DEL FRENTE POPULAR DE LA
CAMARA OFICIAL DEL LIBRO DE MADRID
¡¡Milicianos!!
En vuestro heroismo esta la quietud de nuestra Republica
44

1

El año del tránsito: 1930-31

En aquel febrero de 1930, el general Dámaso Berenguer sustituyó al dictador Primo de Rivera que, tras seis años de gobierno, dimitió y se autoexilió en París, con un profundo resentimiento contra Alfonso XIII por creer que no le había dado toda la ayuda que necesitaba para rematar su labor de construir un nuevo régimen para España. Todos los que le apoyaron decididamente en 1923, el Ejército, la Monarquía y los sectores económicos, le fueron abandonando poco a poco y actuaron, pasiva o activamente, en las cada vez más numerosas protestas contra su manera de gobernar. Moriría solo, dos meses más tarde, en un hotel de segunda clase en la capital francesa con el íntimo convencimiento de que en España «la verdadera libertad necesitaba ir acompañada de guardias civiles».

Berenguer, amigo del Rey y jefe de su casa militar, pretendía, con el menor coste posible, restaurar las condiciones políticas que había suprimido el dictador y considerar aquel período sólo

Con la Dictadura expiró también su principal valedor, el general Primo de Rivera. Aquí aparecen sus hijos José Antonio y Miguel esperando el cadáver en la estación del Norte. De espaldas, se perfila al general Dámaso Berenguer.

como un paréntesis en el normal funcionamiento de la constitución de 1876. Buscó la colaboración de políticos de la Monarquía Parlamentaria, como Romanones, Santiago Alba, el hijo de Maura y Francesc Cambó, el líder catalanista de la Lliga, que había sido uno de los hombres clave de la política española anterior a 1923, ofreciéndole el Ministerio de Hacienda. Todos rehusaron y tuvo que contentarse con un gobierno de leales al Monarca pero con poca experiencia política. Del mismo general se contaba que era culto, por encima de la media de sus compañeros de armas, pero con escasas dotes de mando y lento en sus reacciones. Una de las anécdotas que circulaba en los corrillos políticos era que, en la Academia, un oficial le llamó la atención por la lentitud de su paso en los desfiles, increpándole: «¿No tiene usted otro paso?», a lo que contestó: «Sí, pero el otro es más lento».

No iba a ser posible volver a la situación anterior a 1923 como si nada hubiese ocurrido. Muchos monárquicos se habían alejado de Alfon-

El general Berenguer era un militar de prestigio, y Alfonso XIII lo nombró jefe de gobierno para salvar el trono después de la dimisión de Primo de Rivera. Anunció la convocatoria de elecciones (momento que recoge la fotografía, rodeado por periodistas), pero la oposición generalizada del país le obligó a cesar en su cargo.

Crisis de la Monarquía

Ortega publicó un artículo en 1931 en el que afirmaba: «Es preciso (...) usar de la República como de un formidable aparato para fabricar una España más rica y más precisa en que cada español dé su máximo rendimiento. Nos opondremos resueltamente a quien quiera hacernos una republiquita tonta, compuesta de huelgas y de barullo parlamentario...»

so XIII, debido a la creciente impopularidad de la institución por él representada. El nuevo presidente quería unas elecciones limpias, con la neutralidad del gobierno, pero tardaron más de un año en convocarse —marzo de 1931— y, mientras tanto, las condiciones políticas fueron deteriorándose. Un antiguo conservador y monárquico histórico como Sánchez Guerra, decidido luchador contra la Dictadura, en una conferencia en el teatro de la Zarzuela de Madrid, el 27 de febrero, con un lleno absoluto en la sala que resultaría insuficiente para albergar a los miles de personas que allí se congregaron, afirmaba: «No soy republicano, pero reconozco que España tiene derecho a ser una República». Otras personalidades siguieron sus pasos, como Osorio y Gallardo que se declaró monárquico sin rey, y pidió la abdicación de Alfonso XIII.

Por aquel tiempo, las fuerzas contrarias a la Monarquía (republicanos, socialistas y anarcosindicalistas) comenzaron a organizarse para contribuir a su derrocamiento. En Sevilla, en febrero de

1930, los distintos grupos republicanos llegaron al acuerdo de restablecer la normalidad constitucional mediante la convocatoria de Cortes Constituyentes que establecieran nuevas bases de convivencia política. También en Cataluña, miembros de los partidos Radical, Federal, Izquierda Catalana, autonomistas de Macià, socialistas y algunos militantes de la CNT, adoptaron un programa mínimo basándose en la República Federal, y acordaron votar una candidatura única en las próximas elecciones.

Entretanto, el gobierno dispuso, hasta la celebración de los comicios electorales, la recomposición de los ayuntamientos y de las diputaciones con el criterio de que las corporaciones se formasen en un 50 por 100 con concejales a partir de los mayores contribuyentes, y la otra mitad con aquellos que fueron elegidos desde 1917 con mayor número de votos. La medida fue rechazada por socialistas y republicanos, pero permitió que el dirigente del PSOE, Andrés Saborit, fuera designado concejal del Ayuntamiento de Madrid. El Consejo de Ministros emprendió la tarea de rectificar el censo electoral para ofrecer garantías de participación a todos los sectores políticos, que no se fiaban del elaborado en 1924.

El general Mola, a la sazón director general de Seguridad, se entrevistó con el dirigente cenetista Angel Pestaña para negociar la vuelta a la legalidad de la CNT, así como el abandono de la clandestinidad. Comenzó su reorganización en aquellos núcleos donde había tenido mayor fuerza: Cataluña, Andalucía y Valencia, utilizando su táctica habitual de acción directa, es decir, sin mediación de nadie en los conflictos con los patronos.

El Pacto de San Sebastián

En el mes de agosto de 1930, la mayoría de los partidos y grupos republicanos, reunidos en un

Angel Pestaña participó activamente en la huelga de 1917. Fue delegado en el congreso de la III Internacional en Moscú, pero a su vuelta impulsó la ruptura de la CNT con la Internacional. Durante la República fue uno de los líderes que criticó el radicalismo de la Confederación, junto con Peiró y Juan López. Fundó el Partido Sindicalista y, durante la guerra, ingresó nuevamente en la CNT.

hotel de San Sebastián, llegaron a un acuerdo de acción conjunta para instaurar la República. Estaban presentes los republicanos catalanes que obtuvieron la promesa de que el futuro gobierno presentaría al Parlamento un estatuto de autonomía para Cataluña. Formaron un Comité Revolucionario, pero creyeron que era necesaria la colaboración de los socialistas y sindicalistas de la UGT y de la CNT.

El 29 de septiembre tuvo lugar un gran mitin republicano en la plaza de toros de Madrid, con la asistencia de más de 20.000 personas que dieron vivas a la República con gran entusiasmo. En

Ofensiva republicana

La bandera de la República ondea sobre el Centro Republicano de San Sebastián. Los principales dirigentes que firmaron el Pacto de San Sebastián fueron la base del primer gobierno provisional de la República. En diciembre de 1930, cuando muchos de ellos estaban en la cárcel o escondidos, dieron a conocer un manifiesto con los ideales del regeneracionismo republicano: «Puestas las esperanzas en la República, el pueblo está ya en medio de la calle. Para servirle hemos querido tramitar la demanda por los procedimientos de la ley y se nos ha cerrado el camino: cuando pedíamos justicia se nos arrebató la libertad (...) La revolución será siempre un crimen o una locura donde quiera que prevalezca la justicia y el derecho, pero es derecho y es justicia donde prevalece la tiranía...».

el mes de octubre, las ejecutivas del PSOE y la UGT decidieron su participación en este Comité. Largo Caballero, Fernando de los Ríos y Julián Besteiro se entrevistaron con Alcalá Zamora y con Azaña y acordaron una huelga general como apoyo a los militares que se sublevaran para su instauración. También decidieron integrarse en el futuro gobierno, resucitando la conjunción republicano-socialista de principios de siglo, aunque con la oposición de algunos líderes, entre ellos Julián Besteiro.

Las conversaciones con la CNT fueron complicadas. A pesar de la buena disposición de líderes como Joan Peiró, que recibió el apoyo de la organización sindical para respaldar la iniciativa concretada en San Sebastián, los anarcosindicalistas tenían sus contactos con militares jóvenes en un intento de articular un movimiento revolucionario propio.

No parece que el Gobierno diera gran importancia al Pacto de San Sebastián, pero en el ejército existían ya muchos oficiales jóvenes dispuestos a colaborar con el cambio de régimen, y si bien no había en las altas jerarquías castrenses una disposición a la sublevación contra el Rey, tampoco tenían fuerza para imponerse en el caso de que una parte importante de la población clamara por la República.

Fermín Galán y García Hernández: el levantamiento de Jaca

Para el 15 de diciembre de 1930 estaba prevista una insurrección que instauraría la República. La conspiración, organizada por un Comité Militar, en el que estaban implicados el general Queipo de Llano y los comandantes Ramón Franco y Díaz Sandino, pretendía actuar en conexión con el Comité Revolucionario presidido por Alcalá Zamora.

Manuel Azaña, escritor y ensayista, sintió que la vocación política consistía no sólo en interpretar y analizar los problemas del país, sino también en actuar sobre los mismos. Consideró a la República como la única posibilidad efectiva de acceder al progreso. Regeneracionista de izquierdas, creía imposible conseguir cualquier cambio desde la Monarquía y de ahí su tarea durante la II República para reformar el Ejército y poner las bases de una Reforma Agraria. Su atrayente oratoria, muy bien construida, le hizo destacar tanto en los mítines como en el Parlamento.

El levantamiento de Jaca

El capitán Fermín Galán, destinado en Jaca, contaba con un pasado de enfrentamientos con Primo de Rivera. Había publicado un libro, *La barbarie organizada,* en el que atacaba la figura del dictador, lo que le supuso tres años de cárcel. El viernes 12 de diciembre, adelantándose en tres días a los planes previstos, sublevó la guarnición con la ayuda de los capitanes García Hernández y Salinas, y proclamó la República en Jaca. Con estas fuerzas se dirigió a Huesca, pero el gobierno Berenguer reaccionó y ordenó al capitán general de Aragón aplastar la rebelión, para lo que envió tropas desde Zaragoza. Tras una lucha desigual, en la que las municiones de los sublevados se agotaron, se acabó con la resistencia de los soldados de Fermín Galán. Este podía haber cruzado la frontera pero pensó que su deber era entregarse.

Antonio Machado le dedicó unos versos a Fermín Galán, y así contribuyó al mito del héroe que dio su vida por la República:

«La primavera ha venido
del brazo de un capitán.
Niñas, cantad a coro
¡Viva Fermín Galán!»

Los obreros de las fábricas y los ferroviarios, que esperaban la señal de los sindicatos, no se-

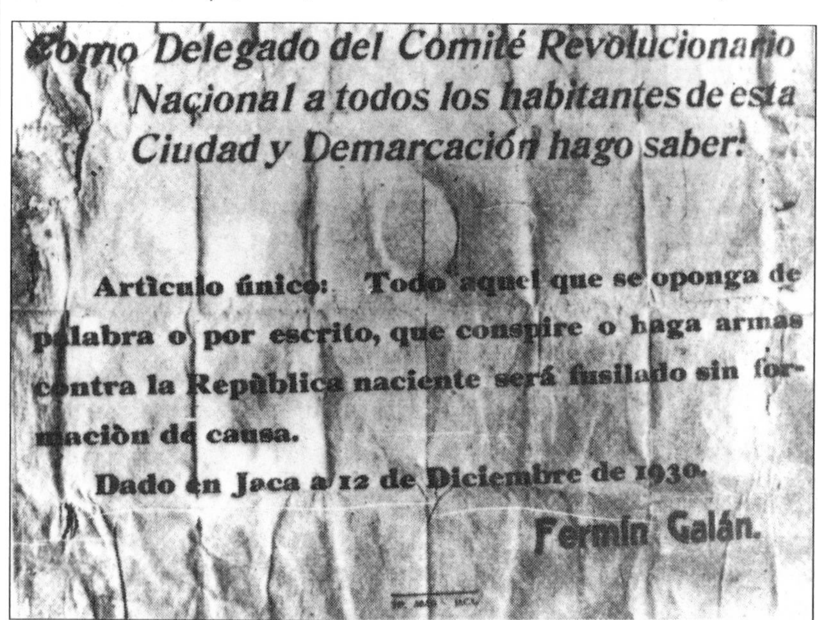
Como Delegado del Comité Revolucionario Nacional a todos los habitantes de esta Ciudad y Demarcación hago saber:

Artículo único: Todo aquel que se oponga de palabra o por escrito, que conspire o haga armas contra la República naciente será fusilado sin formación de causa.

Dado en Jaca a 12 de Diciembre de 1930.

Fermín Galán.

cundaron la iniciativa al no contar con la aprobación del Comité Revolucionario que envió a Casares Quiroga para intentar reconducir la situación.

Un consejo de guerra sumarísimo se constituyó en un cuartel de Huesca, en la mañana del domingo 14 de diciembre, para juzgar a los principales implicados. Condenaron a muerte a Galán y a García Hernández y a cadena perpetua a Salinas, a los tenientes Muñoz y Fernández y al alférez Gisbert. Aquella misma tarde los dos capitanes fueron fusilados. Galán rechazó los auxilios de un sacerdote y se enfrentó al pelotón, después de fumar un cigarrillo, con el grito de ¡Viva la República!

Su figura se convirtió en un mito para los que luchaban por ella y varios autores escribieron obras relatando la gesta de los «héroes de Jaca», entre ellos el poeta gaditano Rafael Alberti, que le dedicó un drama en forma de Romancero:

«España va a sublevarse
y empezará por los montes.
Jaca será la primera.
Ya si le hablan no oye.
Ya no vive, ya no duerme.
Su misma sangre le absorbe.
Le comunica el gobierno
revolucionario órdenes.
No puede esperar. No espera.
Su sino así lo dispone.
Miradle con sus amigos.
Con los que le reconocen
capitán del movimiento.
Miradlos en la última noche.
Era en el mes de diciembre.
Nieve y lluvia. Día doce.»

La desintegración del régimen monárquico

El Comité Revolucionario inició, a partir de entonces, una campaña pro-amnistía y propugnó la abstención en las elecciones convocadas por el Gobierno, que pretendía controlar los acontecimientos a la vieja usanza. Un manifiesto firmado por sus miembros y las noticias de un levantamiento republicano dieron pie a que se dictara orden de detención contra los implicados: Alcalá

El levantamiento de Jaca

Uno de los monárquicos que se pasó a las filas republicanas y conspiró contra Alfonso XIII, fue Miguel Maura, que sería ministro de Gobernación en el Gobierno Provisional de la República. Escribió un libro, *Así cayó Alfonso XIII,* en el que afirmaba: «Lo ocurrido en Jaca fue un lamentable error, la locura de un exaltado que redimió su grave culpa dejándose matar en vez de escapar (...) Ni política, ni estratégica, ni militarmente tiene la menor justificación la aventura de Fermín Galán».

Zamora y Miguel Maura fueron detenidos cuando salían de misa el domingo 14 de diciembre. También cayeron Alvaro de Albornoz, Eduardo Ortega y Gasset, José Giral, Angel Galarza y otros muchos. Algunos se escondieron y no fueron encontrados por la policía.

En la mañana del 15, Queipo de Llano, los comandantes Ramón Franco e Ignacio Hidalgo de Cisneros, el mecánico Rada y algunos oficiales dieron un golpe de mano y se apoderaron del aeródromo de Cuatro Vientos. Fue el único movimiento militar que se produjo en la fecha señalada. Los aviones sobrevolaron Madrid y lanzaron octavillas, pero la orden de huelga general no fue

Todos contra el gobierno

El proceso contra los firmantes del manifiesto de diciembre de 1930 comenzó el 20 de marzo de 1931. Largo Caballero, uno de los encartados, era todavía consejero de Estado y por ello el tribunal fue constituido por el Pleno del Consejo Supremo de Guerra y de Marina. Los otros cinco acusados eran el ex-ministro Niceto Alcalá Zamora, que había contribuido a fundar el partido Derecha Liberal Republicana (en la foto con José Giral), Miguel Maura, cuyo hermano Gabriel era entonces ministro de Trabajo, Fernando de los Ríos, Alvaro de Albornoz, que fue defendido por Victoria Kent, y Santiago Casares Quiroga, representante de los autonomistas gallegos. Otros acusados fueron declarados en rebeldía: Lerroux, Marcelino Domingo, Manuel Azaña, Martínez Barrio, Nicolau d'Olwer e Indalecio Prieto.

transmitida por la Casa del Pueblo, lugar habitual de concentración y reunión de los obreros, que en la capital de España estaba controlada por los socialistas. Los sublevados, sin apoyo popular, fueron reducidos por las columnas enviadas por el Gobierno, mandadas por el general Orgaz. En otros puntos de España la UGT y la CNT declararon la huelga con resultados parciales. Triunfó en San Sebastián, Santander, la cuenca minera asturiana, Valencia, Alicante y en buena parte de Barcelona, pero no en Bilbao. Declarado el estado de guerra, los legionarios de Africa fueron utilizados para liquidar los focos de la rebelión, que no contaron con apoyo militar.

Entre diciembre y febrero, políticos, intelectuales y dirigentes sindicales ingresaron en prisión bajo la acusación de colaborar con la revolución. El 11 de febrero, aniversario de la I República, muchas personas depositaron sus tarjetas en la cárcel Modelo de Madrid. La situación parecía irreversible y la Monarquía contaba ya con pocos apoyos.

Berenguer no tenía ya más recursos y dimitió, sin que nada estuviese resuelto, en febrero de 1931. Alfonso XIII, en un intento de salvar el régimen, encargó la formación de gobierno al crítico Sánchez Guerra, quien llegó a entrevistarse

Todos contra el gobierno

La Alianza Republicana englobaba al pequeño partido de Azaña, Acción Republicana, al Partido Republicano Radical de Lerroux al Republicano Catalán de Marcelino Domingo (después Radical Socialista), y al Republicano Federal de Ayuso. Para derrocar a la Monarquía tenían que contar con el PSOE, con la UGT y con la colaboración de la CNT y del Ejército. El dirigente socialista Prieto coincidía con los republicanos en la necesidad de agrupar a todas las fuerzas antimonárquicas para hacer posible la República.

El Sol

Diario independiente fundado por D. Nicolás M. Urgoiti en 1917 — Madrid, martes 16 de diciembre de 1930

ESTADO DE GUERRA EN TODA ESPAÑA

Ha sido dominada una sublevación en el aeródromo de Cuatro Vientos

...Y la sublevación de Madrid. (*El Sol*, 16-12-1930.)

en la cárcel con algunos miembros del Comité para pedirles su colaboración. No consiguió convencer a nadie y rehusó definitivamente. El conde de Romanones propuso entonces que se realizasen primero elecciones municipales, luego provinciales y después legislativas. El gabinete lo presidió el almirante Aznar y Romanones dirigió el Ministerio de Estado.

Con todo, resultaba ya imposible recomponer los viejos partidos dinásticos, la mayoría de sus líderes se habían separado del sistema y algunos participaban abiertamente en las conspiraciones. Un grupo de intelectuales crearon una Agrupación al Servicio de la República, y en ella estaban Ortega, Marañón y Pérez de Ayala. En zonas como Cataluña y País Vasco surgieron las opciones nacionalistas con mayor vigor. La Esquerra Republicana de Catalunya progresó socialmente y arrinconó a los burgueses de la Lliga, mientras que el Partido Nacionalista Vasco seguía siendo la primera fuerza política de Euskadi. Junto a todos ellos, los sindicatos ejercían su influencia y de nuevo empezaban a tener gran vitalidad. Por otro lado, la Federación Patronal, que aglutinaba a los propietarios, rompió definitivamente con los co-

Todos contra el gobierno

Antonio Machado, Gregorio Marañón, Ortega y Gasset y Pérez de Ayala fueron algunos de los muchos intelectuales que apoyaron a la República. Por contra, otros jóvenes intelectuales de la época, como Dionisio Ridruejo, Antonio Tovar o Laín Entralgo, creyeron que la Falange era un camino auténtico de revolución nacional.

mités paritarios establecidos por la Dictadura. Núcleos como Acción Católica actuaban como grupo de presión, de gran influencia en amplios sectores rurales y urbanos.

En marzo los componentes del Comité Revolucionario comparecieron ante el Consejo Supremo de Guerra y Marina, con la petición del fiscal de quince años de prisión para Alcalá Zamora y ocho para el resto de los procesados. Entre sus defensores más destacados cabe citar a Victoria Kent y a José Bergamín. Su condena fue tan sólo de seis meses y un día, y saldrían liberados entre el fervor del público que daba testimonio así de sus simpatías por aquellos hombres y por sus ideales.

Los desequilibrios económicos

Según el censo de 1930 España contaba con 23.677.095 habitantes. Unos 13 millones seguían residiendo en localidades de 10.000 o menos habitantes, pero la población activa en los últimos 10 años había evolucionado notablemente, no siendo ya el sector agrario el mayoritario

Todos contra el gobierno

A lo largo de todo el siglo XIX y parte del XX, las fuerzas políticas españolas siempre han contado, para llevar a término los cambios de regímenes, con el Ejército. Los militares se convierten en un elemento clave de intervención cuando los mecanismos institucionales no sirven para asumir nuevos planteamientos de los grupos sociales. El Comité Revolucionario que quería instaurar la República se puso en contacto con jóvenes oficiales, sabedor de que eran imprescindibles para derrocar a la Monarquía, y aunque los que colaboraron en la conspiración no fueron muchos, el Ejército no intervino para impedir la implantación de la República.

(45,51 %). Los trabajadores de la construcción, las minas, las fábricas y los talleres habían crecido (26,51 %), aunque la industria estaba concentrada en torno a Barcelona, Vizcaya —la cuenca del Nervión principalmente—, Asturias, Madrid y Valencia. También el sector servicios experimentó desde 1920 un aumento considerable, llegando a suponer un 27,98 % de la población activa.

Sin embargo, todavía el ruralismo tenía gran peso, y la agricultura seguía siendo un sector considerable de la economía española. Las formas de vida campesinas mantenían una influencia considerable en las mentalidades y en las costumbres, aunque comenzaban a penetrar los usos y modos de las sociedades urbanas. Núcleos como Madrid, Valencia, Barcelona, Bilbao, Zaragoza y Sevilla contaban ya con un número importante de obreros, profesionales y trabajadores pertenecientes al sector servicios.

La emigración a Hispanoamérica descendió en relación a los primeros treinta años del siglo,

Ruralismo/ urbanismo

Uno de los decretos-ley más discutidos fue el llamado de los Términos Municipales, propiciado por Largo Caballero. Los caciques solían obtener los votos de los jornaleros con la promesa de trabajo; de no conseguirlos, amenazaban con contratar jornaleros de otros municipios. A partir del 30 de abril de 1931, los patronos tenían que contratar a braceros vecinos del municipio que fuesen.

en que casi un millón de españoles habían atravesado el Océano Atlántico e instalado allí sus hogares para emprender una nueva vida en Argentina, Chile, Uruguay, Venezuela, México, Colombia y Perú, principalmente. Eran los «indianos», que querían un trabajo que les permitiera salir de la miseria en la que, generalmente, vivían en sus pueblos y ciudades; pero, a partir de 1930, las expectativas de empleo en estos países disminuyó como consecuencia de la crisis internacional que desde 1929 se había extendido por el mundo. La «gran depresión económica» afectó en especial a los países desarrollados como Estados Unidos, Inglaterra, Alemania, Francia, Holanda y Bélgica. En España influyó en menor medida, pues todavía permanecía apartada de los grandes circuitos económicos, con una industria protegida por el Estado, que sólo abastecía al mercado nacional, y una agricultura con escasa productividad, dominada por el trabajo manual, con poca mecanización y deficiente abo-

Ruralismo/ urbanismo

Durante los años 30, y ante la crisis internacional, las emigraciones a América se restringieron. Muchos campesinos instalaron sus hogares en las principales ciudades españolas para conseguir algún empleo que les sacase de la miseria. Barcelona tenía en 1933, 1.005.565 habitantes, Madrid 952.832 y Valencia 320.199. Teruel tenía 13.583, y Soria 10.098.

Los problemas del campo

El 21 de mayo de 1931 se creó la Comisión Técnica Agraria en el Ministerio de Justicia, encargada de preparar toda la legislación de la reforma. Estaba presidida por Felipe Sánchez Román y la componían 29 técnicos, entre los que había ingenieros y juristas. Los trabajos que elaboró sirvieron como base para la redacción del proyecto de la Reforma Agraria. Sin embargo, hasta marzo de 1934, siendo ministro de Agricultura Marcelino Domingo, no se aceleraron las discusiones en el Parlamento y no fue definitivamente aprobada hasta después del golpe de Estado de Sanjurjo, el 15 de septiembre. Los criterios sobre cómo distribuir las tierras entre los campesinos fueron muy diferentes, por enfrentamientos ideológicos y por disparidades técnicas entre los diversos especialistas.

no, que, salvo en las zonas mediterráneas de regadíos, no conseguía producciones competitivas para exportar a Europa.

Los problemas del campo adquirieron en los años treinta una mayor relevancia en la sociedad española por la cantidad de familias a las que afectaba, pues unas 3.900.000 personas trabajaban y vivían de la agricultura, de las cuales 1.900.000 eran jornaleros sin tierra. Su nivel de vida era, casi siempre, inferior al de los obreros industriales, no tenían estabilidad en el trabajo, con grandes temporadas sin faena alguna, cambiando de una finca a otra en los aproximadamente 200 días de trabajo al año. Los sueldos eran tan bajos que apenas les llegaba para alimentar a una familia cuyos hijos eran también empleados al cumplir los 13 ó 14 años, careciendo de seguridad social y protección sanitaria en caso de enfermedad. Andalucía, Extremadura y la Mancha eran las principales regiones latifundistas donde se concentraba la mayoría de los jornale-

ros. En otras zonas los arrendatarios pagaban rentas altas y tenían problemas para acceder a la propiedad de las tierras, como los *rabassaires* catalanes y los *foreros* gallegos. Existían pequeños y medianos propietarios en Castilla la Vieja, País Valenciano, Murcia, Cataluña y Galicia, que solían trabajar la tierra con la ayuda de toda la familia. El rendimiento de las parcelas, muy dependiente del clima y de los cultivos, era muy desigual y, por tanto, el nivel de vida resultaba también diferente según las regiones. En algunos casos, productos como la naranja lograron importantes ventas en el extranjero, siendo una fuente sustancial de divisas y de consolidación de una cierta burguesía agraria valenciana.

Según los datos de la época, el 33,29 por 100 de la superficie agraria eran fincas superiores a 250 hectáreas, y unas diez mil familias poseían la mitad de todas las tierras del catastro de la propiedad. En estas circunstancias la capacidad de compra de los campesinos españoles era baja, lo

Los problemas del campo

La familia campesina, con un promedio de tres hijos, necesitaba en los años 30 unas 35 pesetas a la semana para su subsistencia. La dieta alimenticia carecía generalmente de carne, pescado o huevos, ya que no estaban a su alcance. No podían ahorrar y muchas veces habían de pedir limosna.

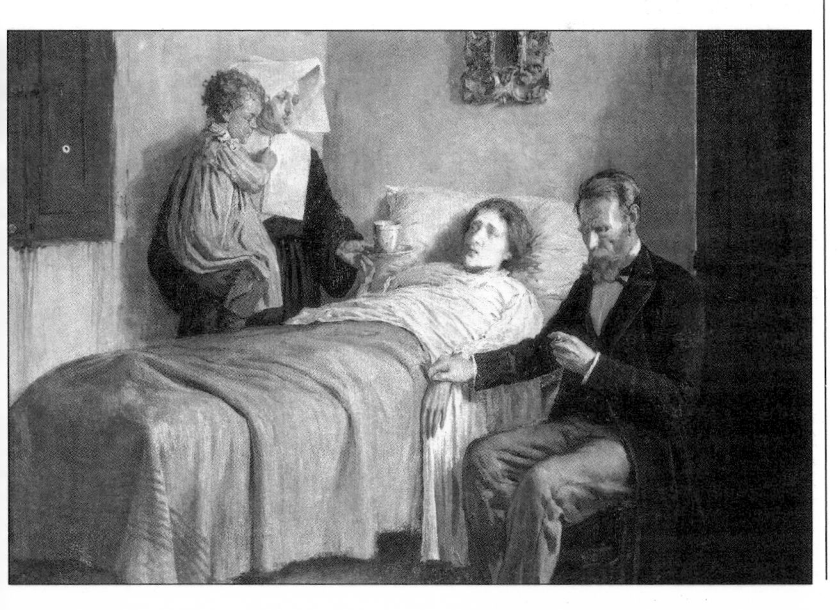

Los problemas del campo

La situación de los campesinos empeoraba en las temporadas de paro, que adquirió dramáticas proporciones: 500.000 en 1930, 610.000 en 1934, y los 700.000 en 1935. Muchos terratenientes contribuyeron a la situación, como manera de oponerse a la República.

que constituía una dificultad para la expansión de los productos industriales, que contaban con un techo de ventas difícil de sobrepasar. No obstante, la producción de los principales cultivos (trigo, cebada, maíz o patatas) salvo la de los cultivos de exportación (agrios y vid), alcanzó gran expansión entre 1931 y 1935, lo que provocó una disminución de los precios, mientras que las reivindicaciones de los campesinos aumentaron, aprovechando las condiciones de libertad política y sindical de la II República.

Una parte de las grandes fortunas se concentraba en el sector financiero, que realizaba inversiones en las empresas de energía eléctrica, en las de construcción y en los negocios urbanos (alcantarillado, transporte, acondicionamiento ciudadano, etc.)

Los obreros de las minas, fábricas y talleres alcanzaban unos 2.000.000 en una población activa que llegó a los cinco millones en 1935, y, en general, todas las industrias de consumo, como la textil, experimentaron un crecimiento relativo mientras que los productos de la minería dedicados a la exportación registraron, junto con la siderurgia, una fuerte contracción que provocó una crisis importante en el sector.

Los años treinta estuvieron caracterizados por una fuerte conflictividad social, con aumento del número de huelgas y enfrentamientos entre campesinos y terratenientes, y entre obreros y patronos, además de adquirir carácter político. El aumento de los salarios, la mejora de la jornada laboral y la solidaridad con otros huelguistas, fueron las causas más frecuentes de los conflictos.

Conflictos sociales

En otros países europeos el crecimiento de la siderurgia y de las industrias de equipo —maquinaria, ferrocarriles, astilleros, etc.— no dependió tanto de las inversiones del Estado como en España, que tuvo una intervención creciente desde finales del siglo XIX.

2

Y llegó la hora de los republicanos

En las elecciones municipales, el 12 de abril de 1931, la mayoría de los ciudadanos votaron a los candidatos republicanos y socialistas en los principales núcleos urbanos. Los pueblos agrícolas y las aldeas siguieron apoyando a los monárquicos; allí todavía seguía imperando el caciquismo y la inercia de respetar al que manda. Sin embargo, todo estaba perdido para Alfonso XIII, quien comprendió la falta de apoyo popular y el abandono de algunos políticos, antes fervientes monárquicos, que no entendieron el respaldo del Rey a un dictador y la abolición de los derechos constitucionales.

Como diría el almirante Aznar, entonces jefe del Gobierno, España se había acostado monárquica y se levantaba republicana. El mismo Romanones —que gozaba de la confianza del Rey— aceptaba los hechos y renunciaba a la fuerza porque «el mauser es un arma inadecuada contra el voto».

Desde el balcón de la Diputación, en Barcelona, Macià proclamó la República catalana como estado integrante de la Federación Ibérica, fórmula que planteó muchos problemas por las susceptibilidades que la cuestión catalana levantaba entre las fuerzas políticas españolas, tanto de izquierdas como de derechas.

Un gobierno provisional, presidido por Alcalá Zamora, asumió el poder, mientras que por calles y plazas la muchedumbre vitoreaba a la República sin que la policía, la guardia civil o el ejército interviniesen. Las banderas roja, gualda y morada ondeaban desde los ayuntamientos. Era el 14 de abril. La República se proclamó sin que los propios republicanos supieran muy bien cómo. El Rey dejó el trono y salió para el exilio. Todo se había hecho con el mayor orden posible y parecía que el cambio de régimen en paz auguraba grandes venturas para España. Los intelectuales hablaban de la madurez política del pueblo. La mayoría de los gobiernos extranjeros la reconocieron en pocos días y únicamente el Vaticano retrasó su aceptación.

¿Quienes eran aquellos hombres que tantas ilusiones habían despertado entre los españoles? Su procedencia política era variada: viejos monárquicos desengañados como Miguel Maura y Alcalá Zamora —que sería el primer presidente de la II República—; republicanos como Lerroux y Aza-

14 de abril

Aquel 14 de abril fue una auténtica fiesta popular. Hombres, mujeres, niños y ancianos salieron a la calle espontáneamente y expresaron con gritos de ¡Viva la República! su vinculación con el nuevo régimen. Para republicanos y socialistas era la expresión del pueblo, en el que Azaña incluía tanto al proletariado como a la burguesía liberal, que quería la transformación de la sociedad española.

14 de abril

Alejandro Lerroux era periodista y representaba al republicanismo anticlerical y antiautonomista. En 1911 creó el Partido Radical y en 1926 se incorporó a la Alianza Republicana. En la II República representa la derecha republicana. Fue ministro de Estado en el 31, y entre 1933 y 1935 presidió varios gobiernos, colaborando con la CEDA. En Valencia pactó con el Partido Republicano, fundado por Blasco Ibáñez (el PURA). Al estallar la guerra marchó a Portugal, donde residió hasta 1947.

ña; socialistas como Prieto, Largo Caballero o Fernando de los Ríos. La mayoría habían sido marginados en el período de la Monarquía. Parecía que ahora, por fin, se solucionarían los problemas de España, con el inicio de su modernización social y política y el comienzo de la participación democrática. Aquellos republicanos que habían vivido desunidos, reducidos a pequeños núcleos, que practicaban la tertulia como medio de exponer sus ideas, tenían su oportunidad. Sólo Alejandro Lerroux, el líder radical, pudo con su tono demagógico movilizar a la población, pero los escándalos económicos en el ayuntamiento de Barcelona le habían desprestigiado, así como su oposición al creciente nacionalismo catalán, que venía bien a los gobiernos de Madrid.

Hombres como Melquíades Alvarez, Azcárate o Azaña optaron por posiciones más intelectuales y buscaron, en algunos casos, pactar con los políticos más progresistas de la Monarquía o con los socialistas, para darle un carácter más abierto a las cuestiones sociales. En 1926, se había fundado la Alianza Republicana que no quería formar un partido nuevo sino movilizar a todos los republicanos españoles. Sin embargo, la unidad duró poco y el 14 de abril existían tres partidos diferentes: Acción Republicana, cuyo dirigente más sobresaliente era Azaña, el partido Radical Socialista de Marcelino Domingo y el Partido Republicano Radical de Lerroux.

Los socialistas tenían un partido más coherente y disciplinado, pero no constituían, ni mucho menos, un bloque unitario. No acababan de fiarse de la colaboración republicana, porque se habían sentido traicionados en otros tiempos, cuando habían ido conjuntamente a las elecciones. Algunos, como Julián Besteiro, presidente entonces del PSOE y de la UGT, pensaban que la República era para los republicanos y que los socialistas debían ocuparse del futuro de una sociedad sin clases. Tanto Largo Caballero como Indalecio Prieto se prestaron, no obstante, a colaborar en ella desde el primer momento, porque estimaban que podían propiciarse reformas importantes para la clase obrera y que esto daba ocasión para fortalecer al partido y la UGT.

El PSOE tenía unos 20.000 militantes en 1930, y la UGT contaba con la cotización de 287.333 afiliados aunque su influencia llegaba al medio millón, de los cuales una inmensa mayoría identificaba la República con el camino de la revolución. En estas circunstancias, Besteiro y sus seguidores resultaron derrotados en el congreso extraordinario del PSOE en febrero de 1931 y dimitieron de la ejecutiva del partido y de la UGT, cargos que desempeñaban desde 1928. Largo Caballero asumió interinamente la presidencia de las dos organizaciones, cuyo medio de difusión de sus opiniones y análisis era «El Socialista».

La CNT se recuperó de la crisis, motivada por la represión sufrida durante la Dictadura, y contaba con 535.565 afiliados, de acuerdo con los datos del Congreso de la Comedia de 1931.

Del Gobierno provisional a las Cortes Constituyentes

La tarea era larga y los ministros del Gobierno provisional se dedicaron desde los primeros días a un programa intenso de reforma. El campo, el ejército y la educación fueron los tres núcleos de acción más importantes impulsados por Azaña, que además de presidente de Gobierno era ministro de la Guerra. Largo Caballero se hizo cargo de la cartera de Trabajo y Marcelino Domingo de la de Educación.

Largo Caballero dispuso como obligatorio que los patronos agrícolas debían dar trabajo, prefe-

Para líderes como Besteiro (en la foto) era el momento de romper las vinculaciones con la burguesía, representada por los republicanos, para poder caminar en solitario y conseguir, en el futuro, el poder político que pondría las bases del socialismo. Para Prieto era imprescindible todavía el apoyo socialista a los partidos republicanos, exponentes del liberalismo español, faltos de organización y de dirigentes, pero seguía siendo el único medio de asentar la democracia republicana.

Las primeras reformas

Ugetista y político socialista, Largo Caballero fue presidente de la ejecutiva del PSOE y Secretario General de la UGT durante la II República. Con ocasión de la huelga del 17 fue condenado a muerte. Entre 1931 y 1933 fue ministro de Trabajo y lideró el socialismo de izquierdas. En 1936 ocupó el cargo de Primer Ministro.

rentemente, a los jornaleros residentes en un mismo término municipal; instituyó la jornada de ocho horas, creó los jurados mixtos para arbitrar los salarios de las industrias y del campo y estableció la prohibición momentánea de deshauciar a los arrendatarios. Todas estas medidas provocaron la reacción adversa de la Asociación Nacional de Propietarios de Fincas.

Los decretos de Azaña trataban de abordar la reforma del Ejército. Este, desde la derrota de 1898, no había tenido más que confrontaciones con los marroquíes en la zona del Protectorado del norte de Africa, donde había costado muchas vidas mantener el orden en las cabilas del Rif, controladas por Abd-el-Krim. Contaba con una proporción excesiva de militares profesionales: en 1931, los generales eran 195 y los jefes y oficiales 16.926, para unas fuerzas de 109.000 hombres. Muchas de las fulgurantes carreras de sus miembros más jóvenes transcurrieron en Africa, y ello

les daba una personalidad particular, «los africanistas», frente a los que estaban en la Península, más permeables a las ideologías que circulaban por la sociedad española. Azaña dispuso que todos los jefes y oficiales que quisieran pudieran pasar a la reserva con el sueldo íntegro. Derogó la Ley de Jurisdicciones de 1906, que permitía a los militares juzgar determinados delitos contra el ejército, suprimió las Capitanías Generales, transformándolas en divisiones orgánicas, y clausuró la Academia General Militar, dirigida entonces por el general Franco.

Los hombres que habían apoyado la República pretendían extender la cultura a las clases más desfavorecidas, como una forma de acabar con el atraso social de España y de potenciar la modernización de la sociedad, en conexión con las ideas de la Institución Libre de Enseñanza, a la que estaban vinculados muchos dirigentes republicanos. Nacieron las Misiones Pedagógicas que permitieron llevar a los lugares más apartados, libros, reproducciones de cuadros, equipos cine-

Las primeras reformas

Según Azaña, «El Ejército en España no es mejor ni peor que la Universidad o los ingenieros de caminos, o que el Ateneo o que cualquier otra institución (...) Si se quiere hacer del Ejército una prolongación de la Guardia Civil para intervenir en los conflictos de orden público (...) más vale que no tengamos ninguna clase de Ejército».

matográficos, gramófonos, etc., mientras los maestros y estudiantes que las formaban intentaban «instruir deleitando». Conectada a ellas estaba el teatro ambulante «La Barraca» en el que colaboraban Alejandro Casona y Federico García Lorca, con la representación de obras de autores clásicos y modernos. En un mundo tan aislado como el de muchos pueblos españoles de la época, mal comunicados y con escasos medios de información, las Misiones Pedagógicas difundieron, por primera vez, diversos aspectos de la cultura entre muchos hombres, mujeres y niños.

Las primeras reformas

Entre el 20 y 21 de junio de 1931, una comisión de expertos concluyó la redacción del Estatuto de Nuria, llamado así en recuerdo del lugar donde se redactó. En aquel borrador se incluía el uso exclusivo del catalán y plenos poderes, dentro de una República Federal, en la educación, el gobierno municipal, la legislación civil, la organización judicial y el orden público. En agosto fue aceptado por el 99 % de los catalanes que acudieron a las urnas. Este Estatuto desbordaba las previsiones de los políticos e intelectuales de la II República. Las Cortes aprobaron, en 1932, uno sensiblemente diferente, en el que se definía a Cataluña como una «región autónoma dentro del Estado español», con la equiparación de las lenguas catalana y castellana y compartiendo el control de la educación, de los impuestos y del orden público.

Esta labor se prolongaría en los meses siguientes con la creación de un plan quinquenal para crear 7.000 plazas de maestros y maestras y 27.151 construcciones escolares, muchas más que en los treinta primeros años del siglo. Los estudiantes universitarios, que mantuvieron un enfrentamiento radical contra la dictadura de Primo de Rivera, eran, a principios de 1931, unos 35.000, lo que representaba un crecimiento importante desde el inicio de la centuria, al igual que la enseñanza media, que contaba con alrededor de 70.000 alumnos y alcanzaría los 100.000 en 1933. Pero el porcentaje de analfabetos era aún muy alto, un 45 % de la población de 1930.

Se fundaron organismos nuevos para impulsar los distintos niveles educativos, como el Consejo Universitario, el Consejo de Primera Enseñanza y los Consejos Provinciales y Locales, con la participación de padres de alumnos y representantes de los ayuntamientos. Constituía, asimismo, una gran preocupación la enseñanza laica y la educación igualitaria para niños y niñas, conviviendo en las escuelas y aulas. Para el desarrollo de la cultura y de la ciencia nacieron el Instituto de Investigaciones Científicas, el Instituto para la Investigación y Publicación de las Fuentes de la Historia Medieval de España y la sección de Pedagogía de la Universidad de Madrid.

Desde el principio la Iglesia estuvo en contra de la política educativa, al suprimir la obligatoriedad de la enseñanza de la religión en los centros docentes.

Las primeras dificultades

La alegría de los primeros momentos dejó paso a fuertes conflictos que reflejaban las contradicciones de intereses y de ideologías. El cardenal primado, Pedro Segura, proclamó en una pastoral las excelencias del régimen anterior y se opuso,

La personalidad del poeta Federico García Lorca traspasa los límites de su obra. Vivió, en cierta manera, queriendo que su poesía se vinculara a la cultura popular de la que extraía los motivos para muchos de sus versos y piezas de teatro. Desde esa perspectiva defendió siempre las propuestas progresistas de la República.

Intereses contrapuestos

de manera evidente, a la nueva situación. Se incendiaron numerosos conventos en Madrid, Andalucía y Valencia, caldeando el ambiente anticlerical y dando argumentos a los enemigos de la República.

El 6 de julio de 1931 estalló el conflicto de la Telefónica, propiciado por la CNT, que se convirtió en huelga general en Sevilla, con actos de violencia. Los mineros asturianos reclamaron la jornada de siete horas y unos 42.000 metalúrgicos de Barcelona, alentados por los anarquistas, se mantuvieron en huelga durante todo el mes de agosto. Los anarcosindicalistas no dieron tregua a la República. De los órganos de la sindical libertaria se apoderaron los elementos más intransigentes y propensos a los movimientos revolucionarios, con el deseo de ver, en un tiempo cercano, la realización del comunismo libertario. Eran, en su mayor parte, los hombres de la Federación Anarquista Ibérica, surgida en 1927 para defender la pureza del anarquismo. Quedaban margi-

El cardenal Segura, Primado de España, era hombre de ideas tradicionales e integristas. Publicó una pastoral, en mayo de 1931, en la que exaltaba la Monarquía. Había conocido a Alfonso XIII siendo obispo de Coria, en la visita del rey a la comarca de las Hurdes. El ministro de Gobernación, el católico Miguel Maura, cumplió la orden del gobierno de expulsarlo del país. Desde el exilio escribió cartas a los obispos explicando cómo podían poner a salvo los bienes de la Iglesia. La policía interceptó alguna de ellas y denunció el caso al Vaticano que le obligó a dimitir de su cargo de arzobispo de Toledo.

nados aquellos otros que habían ganado en el congreso de la CNT de 1931, y que eran partidarios del fortalecimiento de los sindicatos como elementos básicos y contrarios a lanzarse a levantamientos que ocasionaban derrotas y ninguna efectividad en las reivindicaciones obreras.

Por otra parte, una de las crisis económicas más fuertes de los últimos 120 años asolaba el mundo industrial. La caída de la Bolsa de Nueva York, en la famosa Wall Street, produjo un pánico generalizado, un fuerte descenso de las inversiones y la restricción del comercio internacional, que tuvo consecuencias desastrosas para el trabajo y los salarios. Muchos perdieron su empleo y una gran pobreza se extendió por el llamado mundo civilizado. España se vio afectada de manera relativa ya que su economía no estaba todavía muy enlazada con las potencias industriales, pero los productos agrícolas de exportación encontraron dificultades. Los ministros de Hacienda de los primeros tiempos —Carner, Vinuales y el

Intereses contrapuestos

La huelga de la Telefónica en julio de 1931 representó el comienzo de la radicalización de la Confederación Nacional del Trabajo y su alejamiento de los planteamientos reformistas de los republicanos y socialistas. Los sectores anarcosindicalistas más intransigentes plantearon una táctica de asambleas permanentes y sabotajes a las instalaciones de las empresas, junto a ataques a los bienes del clero, que hizo actuar a las fuerzas de orden público.

Cortes Constituyentes

socialista Prieto— trataron de dar seguridad a los capitalistas para que confiaran en las inversiones y se repatriaran los capitales que, desde la proclamación de la República, habían ido a engrosar los bancos extranjeros. La misma derecha del nuevo sistema, los exmonárquicos Alcalá Zamora y Miguel Maura, no lograron convencer a los propietarios para que lo aceptaran.

España, una República democrática de trabajadores

Las elecciones para Cortes Constituyentes se celebraron el 28 de junio con una participación nunca vista hasta la fecha, el 70 por 100; mediante el sufragio universal de los varones, la conjunción republicano-socialista consiguió el máximo de diputados con la siguiente distribución: 116 socialistas, 56 radicales-socialistas, 26 de Acción Republicana, 36 de Esquerra Catalana, los radicales de Lerroux, 90 y los grupos de derechas, 41 diputados.

Entre el 14 de julio, fecha de apertura de las Cortes, que eligieron a Julián Besteiro como presidente, y el 9 de diciembre de 1931 se procedió

La emigración constituía para muchos la única esperanza de supervivencia.

a redactar y a discutir una nueva Constitución. La comisión encargada estaba presidida por Jiménez de Asúa. El proyecto se presentó a las Cortes el 27 de agosto y la cámara comenzó a debatirlo primero en su totalidad y después artículo por artículo. Las sesiones que comenzaban a primeras horas de la tarde continuaban, en algunos casos, por la noche. En determinados momentos, los debates subieron de tono y las posiciones parecían irreconciliables. El artículo 1.° declaraba «España es una República democrática de trabajadores de toda clase, que se organiza en régimen de Libertad y de Justicia». Reconocía el Estado integral, pero aceptaba la autonomía de los muni-

Cortes Constituyentes

La II República advino —como se decía en la época— más por agotamiento de un régimen, como el de la Restauración, que no posibilitaba la participación de los nuevos sectores sociales, que por la fuerza política real de republicanos y socialistas, representantes de un poder civil insuficientemente articulado en la sociedad española como para imponer sus condiciones. El poder central tenía que recurrir al pacto y a los favores de las clientelas de unos poderes locales y regionales considerablemente fuertes.

cipios y de las regiones, como fórmula para establecer los estatutos de autonomía. Una sola cámara, sin Senado, sería la expresión de la voluntad popular.

El artículo 44 daba amplias posibilidades para modificar las relaciones sociales de los trabajadores y para intervenir, desde el Estado, en la economía nacional a través de la expropiación y de la nacionalización: «Toda la riqueza del país, sea quien fuere su dueño, está subordinada a los intereses de la economía nacional y afecta al sostenimiento de las cargas públicas, con arreglo a la Constitución y a las leyes. La propiedad de toda clase de bienes podrá ser objeto de expropiación forzosa por causa de utilidad social, mediante adecuada indemnización, a menos que disponga otra cosa una ley aprobada por los votos de la mayoría absoluta de las Cortes». Para los socialistas era una vía legal que les permitía iniciar, desde el gobierno, las transformaciones sociales necesarias que hicieran posible la construcción del socialismo.

Como ocurrió en las Cortes Constituyentes de 1869, uno de los temas más debatido fue la cuestión religiosa y produjo los discursos más apasionados. Los artículos 26 y 27 señalaban que todas

Alcalá Zamora con Julián Besteiro, sale de las Cortes, después de ser elegido presidente de la República (11-XII-31). Abogado y letrado del Consejo de Estado, fue monárquico hasta 1930 en que se declaró republicano y partícipe del Pacto de San Sebastián. Las Cortes del Frente Popular lo destituyeron de su cargo de presidente. Murió en el exilio.

las confesiones religiosas serían sometidas a una ley especial y no estarían favorecidas ni auxiliadas económicamente por el Estado. Una ley especial regularía la extinción total del presupuesto del clero en dos años y la disolución de aquellas órdenes religiosas, como la Compañía de Jesús, que tuvieran un voto de obediencia a una autoridad distinta a la legítima del Estado. Declaraba igualmente, la plena libertad de conciencia, el derecho a practicar cualquier religión, sin que nadie estuviera obligado a declarar públicamente sus creencias, y la secularización de los cementerios.

En algunos momentos del debate, el diputado canónigo Pildain proclamó que contra las leyes de la República los católicos optarían por una de estas tres alternativas: la resistencia pasiva, la resistencia activa legal o la resistencia activa con las armas en la mano. El católico Alcalá Zamora, en nombre de la Derecha Liberal Republicana, intervino para pedir moderación y paz, y evitar así una nueva guerra civil entre españoles.

Después de anunciarse el resultado de la votación —159 votos a favor, 59 en contra— un incidente rompió la tensión contenida de los diputados. Los vascos, los navarros y los radicales, con insultos y amenazas, se enfrentaron vitoreando unos al catolicismo y otros a la República. Alcalá Zamora y Miguel Maura dimitieron y Besteiro, después de consultar a los partidos, encargó a Manuel Azaña la formación de un nuevo gobierno. El autonomista gallego Casares Quiroga y J. Giral, apoyado por la Esquerra, fueron los sustitutos.

La Constitución obtuvo el voto favorable de los socialistas, de los republicanos de todos los grupos, de Esquerra de Cataluña, de la Agrupación al Servicio de la República que presidía Ortega y Gasset, de los nacionalistas vascos y de los diputados de la extrema izquierda.

El abogado Santiago Casares Quiroga ostentó la cartera de Marina y Gobernación en la II República. Con el Frente Popular fue nombrado ministro de Obras Públicas, y al estallido de la guerra era Primer Ministro. Al oponerse a la distribución de armas al pueblo, dimitió. Murió exiliado.

3

El reformismo de Azaña: diciembre de 1931 - noviembre de 1933

Alcalá Zamora fue elegido presidente de la II República y confirmó a Azaña como jefe del primer gobierno constitucional que mantuvo la misma relación de fuerzas entre los republicanos de izquierdas y los socialistas.

Este fue el gobierno de las reformas más importantes de la República: el Estatuto de Autonomía de Cataluña, la Ley de Divorcio y de Matrimonio Civil, la de Congregaciones, la de Orden Público, la del Tribunal de Garantías Constitucionales y la de la Reforma Agraria.

Pero las cosas no fueron fáciles. Una serie de factores se conjuraron para oponerse, en muchos casos virulentamente, a estas medidas. A principios del año 32, los mineros del Alto Llobregat se levantaron y proclamaron, en muchos pueblos, el comunismo-libertario, propiciado por los hombres del anarquismo insurreccional. También los mineros de Asturias habían realizado, a fines de 1931, una huelga en defensa de mejores condiciones de trabajo, como la jornada de siete horas, para aminorar el desgaste del esfuerzo en las minas, y conseguir pensiones para la jubilación.

Proclamación de la República en el Palacio de la Generalitat en abril de 1931. Las fuerzas políticas de Cataluña tenían una composición diferente a la de la mayoría de las zonas españolas. La hegemonía estaba en manos de Esquerra Republicana de Catalunya, que había desplazado en la defensa del catalanismo a la Lliga Regionalista, representante de la burguesía industrial y financiera. El socialismo no contaba con grandes efectivos y la CNT mantenía la preeminencia sindical, a pesar de que en 1931 se encontraba dividida entre anarcosindicalistas radicales y moderados. Hasta 1936, en plena Guerra Civil, no se formaría el PSUC, con la unidad de socialistas y comunistas.

Pero los propietarios no quisieron aceptar los costes de estas peticiones, ante la crisis que atravesaba el carbón asturiano, más caro y de peor calidad que el inglés. En otros lugares los enfrentamientos entre campesinos y la Guardia Civil se hicieron frecuentes. Existía, en general, una fuerte contradicción entre las reivindicaciones obreras y campesinas, que las estructuras políticas de la República propiciaban, y las condiciones económicas de los grandes propietarios de tierras y de los empresarios. Estos difícilmente podían asumirlas por la casi siempre deficiente tecnificación y capacidad de producción de las explotaciones y empresas. Cuando el 10 de mayo empezó a discutirse en las Cortes la Ley de Bases de Reforma Agraria, los 26 diputados del grupo de derechas, «los agrarios», representantes de los grandes y medianos propietarios, trataron de boicotear el proyecto.

Igualmente, crearía fuertes susceptibilidades el Estatuto de Cataluña, que significaba la consolidación de la Generalitat y una importante capacidad de decisión por parte del gobierno autónomo, junto al reconocimiento pleno del catalán como lengua oficial. La protesta contra lo que

Gobierno constitucional

En los medios anarcosindicalistas la Reforma Agraria no fue nunca considerada como una solución a los problemas del campo. Todas las tendencias del anarquismo estaban de acuerdo en que la tierra debía pasar a manos de los campesinos con la máxima rapidez posible, pero destacaban que la solución no podía darse dentro de los estrictos marcos de la sociedad capitalista. Interpretaban la división de los grandes latifundios en pequeñas propiedades como una medida reaccionaria: una estructura campesina de pequeños propietarios constituía una situación nada propicia para las ideas del comunismo libertario, que partía de la colectivización o municipalización de la tierra.

entendían que podía ser la desmembración de España no vino sólo de los sectores conservadores y militares, sino también de algunos intelectuales como Unamuno y Ortega que enjuiciaron la autonomía como el comienzo del separatismo.

Conspiración militar

Entre tanto, llegaban ruidos de sables. Algunos generales se reunían y conspiraban contra la República, pensando que el orden público estaba deteriorado. El 10 de agosto varios militares movilizaron en Madrid algunas unidades para asaltar el edificio de Correos y el Ministerio de la Guerra, pero la guardia de asalto, fiel al gobierno, controló la situación. El que fuera director general de la Guardia Civil, y en ese momento jefe de los carabineros, el general Sanjurjo, intentó hacerse con el mando de la ciudad de Sevilla y extender la sublevación a otros puntos de Andalucía. La rápida acción del Gobierno y el firme apoyo de las fuerzas obreras, hizo fracasar el golpe. Juzgado y condenado a muerte, se le conmutó la pena por la de reclusión perpetua.

Esta circunstancia fue aprovechada para acelerar la aprobación, el 9 de septiembre, del Estatuto de Cataluña y de la Ley de Reforma Agraria. Con ella se pretendía expropiar millones de hec-

El general Sanjurjo en la mañana del 10 de agosto de 1932 en Sevilla, a donde había marchado para encabezar la sublevación contra la República. Era un militar con una larga carrera; había luchado en Cuba y en Africa, llegando a ocupar, más tarde, la dirección de la Guardia Civil y de los carabineros. Fue amnistiado al subir al poder las derechas y se marchó a Portugal, donde murió el 20 de julio de 1936 al estrellarse el avión que lo llevaba a tomar el mando del alzamiento militar.

táreas a latifundistas y nobles, para ser redistribuidas entre campesinos que las cultivarían directamente, con el asesoramiento de un organismo creado al efecto: el Instituto de Reforma Agraria. La ley afectó casi exclusivamente a las regiones y provincias caracterizadas por la gran propiedad: Andalucía, Extremadura, Ciudad Real, Toledo, Albacete y Salamanca. Su aplicación no fue muy rápida, y a fines de 1933 se habían instalado 8.600 familias, con una expropiación de 89.000 hectáreas, cuando se había previsto un asentamiento de 60.000 campesinos por año. Por otra parte, no se tomó ninguna medida sustancial para los pequeños propietarios castellanos que padecían dificultades en los años de malas cosechas, y todo indicaba que no cabía modernizar el país.

Los anarcosindicalistas partidarios de la revolución armada no cejaban y de nuevo volvieron a la carga en enero del 33. Bombas, asaltos a cuarteles, toma de ayuntamientos, en las provincias de Cataluña y Valencia principalmente, eran los métodos para alcanzar, de una vez, el comunismo libertario. No obstante, el choque más trágico se

Reforma Agraria

Los anarcosindicalistas no aceptaban negociar con los patronos. Rechazaron frontalmente los Jurados Mixtos, como solución a los conflictos laborales, y plantearon las reivindicaciones de una manera directa y sin organismos interpuestos.

Casas Viejas

La moderación política de la República no pudo apaciguar las protestas de muchos núcleos agrarios que, vinculados generalmente al anarquismo insurreccional, reclamaban una distribución rápida de las tierras para mejorar sus precarias condiciones económicas y sociales. El recurso a la represión armada para solucionar el levantamiento de los campesinos en Casas Viejas (Cádiz), en enero de 1933, deterioró el apoyo que pretendió conseguir entre los jornaleros y los braceros.

produjo en el pueblecito gaditano de Casas Viejas, donde los campesinos se alzaron, cortaron las líneas telefónicas y cavaron trincheras. La Guardia Civil y la de asalto se apresuraron a dominar la situación y un viejo anarquista, apodado *Seis Dedos*, se hizo fuerte en su casa. La asaltaron e incendiaron y, excepto dos, todos murieron, incluso un niño. Las protestas cundieron por todo el país, se exigió en las Cortes responsabilidades y el prestigio de Azaña decayó; pero todavía tuvo fuerzas para hacer votar la Ley de Congregaciones Religiosas que prohibía toda función docente a las mismas. La jerarquía eclesiástica la rechazó por considerarla un atentado a su específica misión histórica. En aquellas circunstancias las grietas de la sociedad española se ahondaban.

Entre tanto, los sectores conservadores buscaban una alternativa. En marzo de 1933 se creó la CEDA (Confederación Española de Derechas Autónomas) que reunía grupos y grupúsculos muy variados, donde tenían un peso específico los moderados de la Derecha Regional Valenciana. Su origen podía detectarse en la Asociación Católica Nacional de Propagandista (ACNP), dirigida por Angel Herrera Oria, con el propósito de organizar un grupo de seglares al servicio de la Iglesia

Católica para difundir su pensamiento y proponer medidas dentro del catolicismo social que aglutinase a amplios sectores de la población. De ella nacieron la Confederación Nacional Católico-Agraria, la Editorial Católica, con el diario «El Debate» como máximo exponente, y la agencia de prensa «Logos».

A partir de 1931, patrocinaron Acción Popular como asociación de varios sectores, para luchar contra lo que consideraban el anticatolicismo de los dirigentes de la República. Era un conglomerado de monárquicos, tradicionalistas, antiguos mauristas y católicos conservadores que no continuaron unidos después del intento de golpe de Sanjurjo, pero que dio pie para hacer coincidir a distintos partidos que propiciarían con su unión la recuperación política de la derecha. El líder de la CEDA fue el catedrático y diputado por Salamanca, Gil Robles.

Aquel mismo verano las malas cosechas, el aumento de las huelgas y el comienzo de la crisis larvada en el PSOE, resquebrajaron la capacidad del reformismo republicano-socialista. El sector mayoritario del Partido Radical Socialista no estaba de acuerdo en continuar colaborando en el Gobierno con los socialistas, entre los que el sector caballerista estaba también incómodo con la conjunción republicana, por considerarla perjudicial al avance del socialismo. Largo Caballero anunciaba ante un auditorio rebosante de militantes obreros que le aclamaban: «...hemos de luchar hasta convertir el régimen actual en una república socialista». También los patronos se lanzaron a campañas contra el gobierno y algunos ensalzaron claramente las virtudes del creciente fascismo en Europa. Azaña dimitió y Lerroux fue el encargado de formar gabinete, pero resultó derrotado en las Cortes. Todo se precipitó: disolución del Parlamento y nuevas elecciones.

Ofensiva derechista

Gil Robles se entrevistó en junio de 1933 con Alfonso XIII. En su libro *No fue posible la paz* cuenta su encuentro con el monarca: «Era la primera vez que me encontraba con el rey (...) con el tacto exquisito que le caracterizaba, don Alfonso apartó el más leve motivo de tirantez y me planteó con noble lealtad las dudas que le asaltaban. Le respondí con la misma sinceridad (...) le anuncié mi propósito de gobernar la República, aun considerándome monárquico, sin traicionarla (...) Si fracaso —le dije— quedará demostrado que no es posible dentro de la República hacer una política antirrevolucionaria».

4

La derecha tiene su oportunidad: diciembre de 1933 - febrero de 1936

En 1933, José Antonio, que aún no había fundado Falange Española, escribió al director de «ABC» una carta en la que afirmaba: «El fascismo no es una táctica. Es una idea. El fascismo nació para encender una fe, no de derechas (que en el fondo aspira a conservarlo todo, hasta lo injusto), ni de izquierdas (que en el fondo aspira a destruirlo todo, hasta lo bueno) sino una fe creativa, integradora, nacional».

Un 19 de noviembre de 1933 los españoles acudieron de nuevo a las urnas. En esta ocasión la participación fue menor, el 67 por 100, y en las zonas de influencia anarquista muchos siguieron las consignas de abstención. Por primera vez la mujer española ejerció su derecho al voto y no es seguro que favoreciera a la derecha.

Republicanos y socialistas se presentaron en la mayoría de las circunscripciones por separado. En la campaña electoral los conservadores abogaban por la revisión de la Constitución y de la legislación laica, y proponían la amnistía para los sublevados en agosto de 1932. La CEDA consiguió 115 diputados, los radicales 102, los socialistas 61 y los agrarios 36. Los republicanos de izquierdas perdieron muchos diputados y entre todos los grupos sólo alcanzaron diez escaños. La Esquerra Republicana de Catalunya mantuvo su fuerza con 19 diputados y la Lliga obtuvo 24. La extrema derecha, con Renovación Española y con los Tradicionalistas lograron 35. También estaba

José Antonio Primo de Rivera, representante del nuevo grupo Falange Española.

El PSOE, aun a pesar de haber obtenido 1.618.000 votos, logró un número exiguo de diputados en relación con su fuerza real, pero, de acuerdo con un sistema electoral a dos vueltas, las coaliciones de la derecha desplazaron, en muchas provincias, a socialistas y a republicanos de izquierdas al 20 por 100 de los escaños, por ser minoritarios.

Alejandro Lerroux, que tanta fama había adquirido en la época de la Monarquía por sus discursos inflamatorios contra los burgueses y la Iglesia, aparecía ahora liderando el centro-derecha con el apoyo parlamentario de la CEDA, que no acababa de aceptar la República como sistema político indiscutible. Esto no gustó a algunos militantes del Partido Radical que, como Martínez Barrio, lo abandonarían formando un nuevo grupo: Unión Republicana, proclive al entendimiento con Azaña.

El triunfo de la derecha aceleró las diferencias de los socialistas. Dos tendencias se disputaban la estrategia. Unos creían que el reformismo republicano había dado ya todo de sí y debía darse un paso adelante para lograr un gobierno socialista en un mundo donde el capitalismo estaba caduco y sin posibilidad de reacción; Largo Caballero figuraba como el representante más cualificado de esta tendencia. Otros, más moderados, como Saborit o Trifón Gómes, pensaban que no era el momento de lanzarse a una conquista revolucionaria del poder. Besteiro, que había llegado de nuevo a la presidencia de la UGT en 1932, dimitiría ante la presión de los caballeristas. Prieto, en una posición de centro, apostaba por recomponer la alianza con los republicanos de izquierdas.

Los anarcosindicalistas seguían manifestándose contrarios a cualquier transacción con el Gobier-

Gobierno de centro-derecha

En marzo de 1934, las comisiones ejecutivas de la UGT, PSOE y Juventudes Socialistas celebraron una reunión conjunta para establecer un Comité Revolucionario que encauzara la República por un camino democrático y social con el apoyo exclusivo de las masas obreras y campesinas. Quedó establecido un «fondo especial» para financiar el movimiento bajo la responsabilidad de Amaro del Rosal y Prieto (en la foto). Este estuvo, además, implicado en la compra de armas a través de sus contactos con el industrial vasco Horacio Echevarrieta que tenía, entre otros, negocios de exportación de armas.

Disensiones en la izquierda

Muchos terratenientes contribuyeron al paro estacional como una manera de luchar contra la República, al restringir las contrataciones eventuales de labriegos sin tierra. Los obreros y campesinos carecían de seguro contra el paro y presionaban sindical y políticamente para salir de la situación. En ocasiones estallaban revueltas contra los propietarios, con la consiguiente represión. En la foto, el consejo de guerra que juzgó el levantamiento campesino de Castilblanco (Badajoz).

no. La CNT, sin embargo, estaba igualmente dividida. Sindicalistas como Peiró, Juan López y Pestaña formaron los Sindicatos de Oposición de la CNT y, con ellos, la Federación Sindicalista Libertaria. Los grupos más o menos vinculados a la FAI controlaban los órganos de la central sindical y planteaban un activismo insurreccional, principalmente en Aragón, Andalucía y Extremadura, donde en Villanueva de la Serena (Badajoz), en uno de aquellos movimientos, el sargento Pío Sopena se pasó a los revolucionarios con quince soldados y varios paisanos y se pertrecharon en la Caja de Reclutas, muriendo en ella con siete compañeros.

Los nacionalistas vascos aceleraron sus reivindicaciones para conseguir un estatuto de autonomía que fue aparcado en las nuevas Cortes. A pesar de su catolicismo integral, el PNV no colaboraría con la derecha española, poco sensible al reconocimiento de las peculiaridades históricas de Euskadi. En Cataluña, el líder histórico Francesc Macià fallecía el 24 de diciembre y fue sustituido por Lluís Companys.

En este ambiente, los gobiernos de la derecha retrasaron la puesta en práctica de la Reforma

Agraria, votaron una ley de amnistía que liberó a Sanjurjo y a otros militares, implicados en la rebelión de agosto de 1932, en contra de la opinión del presidente Alcalá Zamora, que estimaba que ello animaría a los enemigos de la República. Derogaron la Ley de Términos Municipales e impugnaron, con la colaboración de la Lliga, la decisión del Parlamento catalán de aprobar la Ley de Cultivos, que convertía a los colonos —«los rabassaires»— en propietarios, después de quince años, previo pago de un precio reglamentado. Pero aun así, la extrema derecha seguía conspirando. Calvo Sotelo, exiliado desde la caída de la Monarquía, regresó a España. Militares contrarios a la República constituyeron la Unión Militar Española que recibió la contrarréplica de la UMRA (Unión Militar Republicana Antifascista) formada por oficiales de ideología progresista y defensores de la Constitución. Otros entraron en contacto con el gobierno italiano para recibir ayuda y derrocar a la República.

Las huelgas continuaron en aumento durante el primer semestre de 1934, como mecanismo de reivindicación social y política contra un ejecutivo que daba marcha atrás en muchos aspectos y

Reformas derechistas

La II República se proclamó en Eibar en la misma mañana del 14 de abril, cuando los concejales de la coalición republicano-socialista se anticiparon al resto de España. Pero la fuerza política mayoritaria la ostentaba el PNV, que no participó en la oposición a la Monarquía, ni se adhirió al Pacto de San Sebastián. Impulsó un Estatuto (la imagen capta el momento de su entrega a Lerroux) municipalista y anticonstitucional, pues reservaba a Euskadi las relaciones directas con la Santa Sede.

Octubre del 34

El último Congreso del PSOE —el XIII— celebrado en territorio español hasta después de la Guerra Civil tuvo lugar en octubre de 1932. El debate principal se centró en la colaboración ministerial socialista-republicana. Para líderes como Besteiro era el momento de romper las vinculaciones con la burguesía para conseguir en el futuro el poder político que pondría las bases del socialismo. Para Prieto era todavía imprescindible colaborar con los partidos republicanos.

contra unos patronos que veían la oportunidad del desquite. Entre tanto, sectores de los partidos de izquierdas y de las centrales sindicales abogaban por la constitución de una alianza obrera para contribuir juntos al triunfo revolucionario y poder acabar así con el antirreformismo de la derecha.

La revolución de octubre

En septiembre de 1934, cuando Gil Robles reunía a una gran muchedumbre en Covadonga, las organizaciones obreras asturianas, que habían entrado en la Alianza Obrera, declararon una huelga general y tacharon de fascistas las propuestas de la CEDA.

Lerroux volvió al poder el 1 de octubre con ministros de la CEDA, entre los que se encontraban políticos como Giménez Fernández, representante del sector más moderado, proclive a llevar a cabo una implantación restringida de la Reforma Agraria. El hecho provocó, no obstante, una reacción entre las izquierdas, quienes interpretaron que la República estaba en manos de sus enemigos, de ahí que se lanzaron decididamente a la revolución.

La Alianza Obrera —comunistas, socialistas y anarcosindicalistas— no cuajó en muchas zonas, desgastadas por continuos movimientos huelguísticos y revolucionarios, pero sí en otras. En Cataluña la rebelión surgió desde la propia Generalitat: Companys, en la tarde 6 de octubre, declaró el Estado Catalán dentro de la República Federal Española, haciendo una llamada a toda la oposición progresista para que formase un gabinete alternativo al de Lerroux. En algunos pueblos como Sabadell, Granollers o Vilanova i la Geltrú, la Alianza se hizo cargo del poder local. La situación no duró mucho. El general Batet, de acuerdo con el gobierno, proclamó el estado de guerra y ordenó a la artillería disparar contra el Ayuntamiento y la Generalitat. El gobierno catalán se rindió y fueron detenidos políticos como el alcalde de Barcelona, Pi i Sunyer. Lluís Companys fue juzgado por el Tribunal de Garantía Constitucional y condenado a 30 años de cárcel. Azaña también era retenido el 9 de octubre, acusado de ser el instigador de la sublevación, sin que pudiera probarse; el Tribunal Supremo rechazó el recurso

Rebelión en Cataluña

Lluís Companys fue detenido a raíz de los sucesos de octubre de 1934. Era abogado y fundó, con Macià y Tarradellas, Esquerra Republicana de Catalunya. Fue ministro de Marina de la II República y Presidente de la Generalitat de 1933 a 1939. Exiliado al final de la guerra, fue entregado al gobierno de Franco por los alemanes. Murió fusilado.

del fiscal general para procesarlo. En otros lugares del país el movimiento no llegó a cuajar y los intentos fracasaron desde los primeros momentos. En Madrid el plan de las milicias socialistas de tomar el Ministerio de la Gobernación no tuvo éxito y los enfrentamientos entre obreros y guardias de asalto, en algunos barrios de la capital, acabaron con la rendición de aquéllos.

En Asturias las cosas fueron más graves y estalló una verdadera revolución. En las minas de Mieres los comités revolucionarios declararon la huelga general. Se tomó el Ayuntamiento y los

República de Obreros y Campesinos de Asturias

TRABAJADORES:

El avance progresivo de nuestro glorioso movimiento se va extendiendo por toda España; son muchísimas las poblaciones españolas en donde el movimiento está consolidado con el triunfo de los trabajadores, campesinos obreros y soldados.

Establecidas y aseguradas nuestras comunicaciones interiores, se os tendrá al corriente de cuanto suceda en nuestra República y en el resto de España.

Instaladas nuestras Emisoras de radio, las cuales en onda corriente y en onda extra-corta, os pondrán al corriente de todo.

Es preciso el último esfuerzo para la consolidación del triu.. de la Revolución,

El enemigo fascista se va rindiendo así como se van entregando los componentes mercenarios con su aparato represivo, fusiles, ametralladoras, cartuchería, proyectiles varios (que no podemos señalar) para que no se conozca del material de combate de que disponemos, ha caído en nuestras manos.

Las fuerzas del ejército de la derrotada República del 14 de Abril se baten en retirada y en todas nuestras avanzadillas se van sumando los soldados para enrolarse a nuestro glorioso movimiento.

¡ADELANTE TRABAJADORES, MUJERES, CAMPESINOS SOLDADOS Y MILICIANOS REVOLUCIONARIOS!

¡VIVA LA REVOLUCION SOCIAL!

El Comité Revolucionario.

Revolución en Asturias

Los partidos de derechas, después de los sucesos de octubre, lanzaron todo tipo de acusaciones contra Manuel Azaña, que permaneció detenido en Barcelona durante dos meses y medio. A pesar de que el Tribunal Supremo no encontró ninguna prueba para procesarlo, cedistas, monárquicos y algunos radicales mantuvieron una campaña contra él. En el Parlamento lo acusaron de haber proporcionado armas a la oposición portuguesa que conspiraba contra el dictador Salazar, pero que no llegaron a utilizarlas y habían sido adquiridas, por su mediación, por los mineros asturianos. En una sesión histórica del Congreso de Diputados, el 20 de marzo de 1935, Azaña se defendió con un discurso que duró varias horas; salió airoso y achacó a sus acusadores el provocar el descrédito de la República.

cuarteles de la Guardia Civil y la de asalto. El 6 de octubre, columnas de mineros se lanzaron sobre Oviedo y ocuparon la mayor parte de la ciudad. Durante algunos días, gran parte de la región —Mieres, Sama, La Felguera, Trubia— vivió bajo un régimen revolucionario. Los comités obreros, constituidos por todas las fuerzas proletarias, organizaron, entre otros, los servicios de abastecimiento, sanidad y transporte. El dirigente socialista Indalecio Prieto, que colaboró en los hechos, redactó un programa de gobierno proponiendo la intensificación de la reforma agraria, la nacionalización de las tierras, la enseñanza pública, la reorganización del Ejército y de la Guardia Civil y la reforma del sistema tributario, todo ello dentro de una economía de libre empresa. Pero los acontecimientos radicalizaron la situación. El Ejército fue llamado para contener la revolución. El general Franco, entonces gobernador militar de Baleares, aconsejó al ministro de la Guerra que enviara a la legión y a las tropas de regulares. 2.000 hombres desembarcaron en Gijón, al mando del teniente

Revolución en Asturias

El Ejército sofocó la rebelión en Cataluña por orden del Gobierno. La colaboración de la CEDA en el Parlamento, primero, y, después, en el Gobierno, fue para los republicanos de izquierdas el signo inequívoco del ascenso del fascismo en España. Pensaban que no podían caer en la pasividad como sus compañeros alemanes, permitiendo la instauración del nazismo.

coronel Yagüe. Todo estaba perdido. Los legionarios y las tropas del general López Ochoa fueron, poco a poco, reconquistando el terreno, según el parte oficial. Muchas vidas se perdieron: 1.335 muertos (284 de las fuerzas públicas y del ejército) y 2.051 heridos. Hubo muchas detenciones. La conquista del poder, contando sólo con las fuerzas obreras y campesinas, se vio inviable.

A partir de entonces, las peticiones de amnistía fueron una constante en las campañas reivindicativas de la izquierda. Los comunistas eran un partido reducido y realizaron una fuerte campaña reivindicando su papel destacado en la revolución de octubre. El entonces secretario del PCE, José Díaz, visitó a Largo Caballero en la cárcel para proponerle una reivindicación conjunta del movimiento asturiano, pero el líder socialista no aceptó y negó su participación en los hechos para evitar que la CEDA descargara la represión en el PSOE y en la UGT. Ello dio pie a los comunistas

Revolución en Asturias

El balompié adquiere una dimensión de espectáculo popular que cada vez apasiona a más gente. Los clubs crecen y construyen grandes campos. En 1933 el Madrid se proclama campeón de Liga con un equipo histórico: Zamora, Ciriaco, Quincoces, Regueiro, Valle, Gurruchaga y Eugenio. La selección nacional derrotó a Portugal por 3-0 y a Bulgaria por 13-0.

para acusarles de reformistas y antirrevolucionarios. Sin embargo, los seguidores de Prieto colaboraron con la insurrección, a pesar de no estar muy convencidos de los resultados, y ello potenció su figura entre muchos socialistas. El también podía demostrar que era un revolucionario, al defender las conquistas republicanas, que la CEDA y los radicales querían eliminar.

Reacción de la derecha

Gil Robles, ministro

La derrota de octubre de 1934 tranquilizó a la derecha y a los patronos, aunque la extrema derecha continuaba sin estar dispuesta a entrar en el juego y creó el Bloque Nacional, con Calvo Sotelo, Goicoechea, Maeztu, Lequerica, el duque de Alba, entre otros. Primo de Rivera, el fundador de Falange Española, decidió ese año su fusión con las JONS (Juntas Ofensivas Nacional-Sindicalistas) creadas en Valladolid por Onésimo Redondo y Ramiro Ledesma. Su ideología, concretada en 26 puntos, hacía hincapié en la unidad de España, negando los separatismos y el juego de los partidos políticos, a la vez que propiciaba la creación de una sociedad corporativa. El Vaticano tampoco parecía dispuesto a un entendimiento con la República, a pesar de los gobiernos formados por mayoría de católicos.

La represión se extendió por todo el país tras los hechos de octubre y algunos de los participantes en ellos fueron condenados a muerte. Gil Robles pidió que se ejecutase a uno de los líderes de Asturias, González Peña, y a 19 participantes más; ante la negativa de Lerroux, la CEDA abandonó el gabinete. Pero en mayo del 35, al constituirse un nuevo gobierno, la Confederación recibió cinco carteras. Gil Robles ocupaba la de la Guerra y nombró jefe del Estado Mayor Central al general Franco. Para la redacción de una nueva Ley Agraria, fue designado como ministro de

José Calvo Sotelo era un político afiliado al movimiento maurista. Diputado en 1919 y gobernador civil de Valencia (1921-1922). Con Primo de Rivera fue director de Administración Local y ministro de Hacienda. En las Cortes republicanas era jefe de Renovación Española. Murió asesinado en 1936 poco antes de la rebelión militar.

Reacción de la derecha

Agricultura un gran propietario de la provincia de Avila, Nicasio Velayos.

El gobierno dedicó gran parte de su actividad a elaborar una legislación contraria a la promulgada por el reformismo republicano socialista. Revisó la Ley de Arrendamientos Rústicos, que dificultaba el acceso de los arrendatarios a la propiedad de la tierra; suprimió la semana de 44 horas para los obreros metalúrgicos, y el 1 de agosto, las Cortes tramitaron la modificación de la Ley de Reforma Agraria con la abolición del inventario de propiedad susceptible de expropiación, además de establecer fuertes indemnizaciones en el caso de efectuar alguna. Los sectores moderados de la CEDA, representados por Giménez Fernández, quedaron marginados en beneficio de los más extremistas, como las Juventudes de Acción Popular (JAP), su movimiento juvenil, proclive al lenguaje de los movimientos totalitarios de la época y con planteamientos ideológicos que defendían el Estado corporativo, muy en consonancia con la tradición del catolicismo social.

Las Cortes aprobaron la continuidad del estado de alarma; mientras, las fuerzas progresistas comenzaron su reorganización. Los caballeristas parecían imponerse en las juventudes socialistas. Araquistain, el intelectual más destacado del ala izquierda del socialismo, arremetió contra el derechismo de Besteiro. Los prietistas insistieron en volver a la alianza con los republicanos como único camino factible. Largo Caballero permaneció en la cárcel hasta diciembre de 1935 por los sucesos de octubre, y Prieto se exilió en París. El primero dimitió como presidente del PSOE y dejó el camino libre a los moderados en la Comisión ejecutiva. Azaña, que había constituido Izquierda Republicana, formada por la fusión de Acción Republicana y algunos radicales socialistas, volvía a movilizar a las multitudes.

José María Gil Robles, catedrático de Derecho Político y jefe de Acción Popular, buscó la unión de las derechas en torno a la CEDA. En 1935, en uno de los gobiernos de Lerroux, fue ministro de la Guerra. A partir del 39 quedó apartado de la política y entró a formar parte del Consejo Privado del conde de Barcelona.

A finales de 1935 se produjo un escándalo político. Se demostró que la autorización de un juego de ruleta, inventado por el holandés Strauss, se había logrado por medio de sobornos, en los que estaban implicados varios miembros del Partido Radical, incluido el hijo adoptivo de Lerrroux que era delegado del Estado en la Telefónica. El «extraperlo», fue un término que adquirió categoría de vocablo en el diccionario español como sinónimo de cohecho. Con el anuncio de un gran mitin de Azaña en Madrid, al que asistieron más de 200.000 personas, llegadas de muchos lugares de España, y ante el temor de que aquél denunciase la corrupción, el asunto salió a la luz pública. El Parlamento excluyó a los implicados y el Partido Radical entró en una profunda crisis, provocando el desmoronamiento de la mayoría parlamentaria. Primero se encargó del gobierno Chapaprieta y después Portela Valladares, que no contó con la CEDA. Eran ya los últimos días de 1935 y se aproximaban unas nuevas elecciones.

Reacción de la derecha

La participación masiva de la CEDA en el gobierno acentuó las diferencias de los grupos más derechistas, como carlistas o Renovación Española, para los cuales la revolución no sería atajada mientras no se acabase con la República. La CEDA planteó una estrategia más legalista, proponiendo en 1935 una reforma de la Constitución que afectaba a 42 artículos, que no llegó a aprobarse.

5

Los intelectuales y la República

Unamuno (aquí, el primero de mayo de 1931), intelectual contradictorio y apasionado, colaboró en su juventud con los socialistas y se consideró uno de ellos. El levantamiento militar le cogió en Salamanca; primero lo aceptó, pero luego se enfrentó con Millán Astray.

La casi totalidad de los intelectuales aplaudieron la llegada de la República. Representaba la libertad para pensadores y escritores, sobre todo después del período de Primo de Rivera que manifestaba frecuentemente su desprecio hacia la mayoría de ellos, llegando a tomar represalias contra figuras como Unamuno y otros muchos profesores.

Aquella época tenía un aire de admiración por los hombres de las ciencias y las letras. Algunos habían colaborado en el hundimiento de la Monarquía, como el escritor Ortega y Gasset, director de la «Revista de Occidente», que firmó en febrero de 1931 el manifiesto de la Agrupación al Servicio de la República, junto al doctor Marañón y a Pérez de Ayala, entre otros, con el propósito de movilizar a todos los españoles de «oficio inte-

lectual» para que formasen un copioso contingente de propagandistas y defensores de la República española. Participaron, incluso, en las Cortes Constituyentes con el apoyo de los votos republicanos y socialistas.

No faltaron los que tuvieron militancia política permanente y comprometida, como Azaña, Madariaga, Besteiro o Fernando de los Ríos, y actuaron desde el primer plano en las Cortes y en los gobiernos, pero la mayoría siguió su propia trayectoria intelectual. Durante estos años de régimen democrático convivirían los hombres, ya maduros, de la generación del 98, la del 14, en pleno vigor, y la más vanguardista del 27, cada uno con su peculiar manera de entender las cosas. Ramón y Cajal, por ejemplo, era ya octogenario, pero su laicismo y regeneracionismo veía con buenos ojos el reformismo republicano. Menéndez Pidal permaneció aislado, dedicado a sus estudios filológicos e históricos. Unamuno vivió con pasión y activismo los primeros tiempos. Valle-Inclán, con su peculiar personalidad, recibió el encargo de la dirección del Instituto Español en Roma, que lo sacará de la penuria económica. Azorín siguió, distante, los acontecimientos, apostando por las opciones más conservadoras, mientras que Baroja se mostró indiferente y escéptico ante la representación parlamentaria. Machado fue progresando desde su lírica intimista hacia actitudes de mayor compromiso. Maeztu se refugió, en cambio, en la defensa del hispanismo, despreciando la ciudad y sus industrias, y Bartolomé Cossío dedicó su tiempo a los proyectos pedagógicos.

Con el paso de los meses y el cambio trepidante de los acontecimientos, las actitudes cambiaron. Ortega, por ejemplo, empezó a hablar de la necesidad de rectificación de la República, propugnando reformas sin radicalismos y temiendo «la rebelión de las masas», título de uno de sus

División de los intelectuales

Valle-Inclán utilizaba también en su vida privada el esperpento y el sarcasmo, como prueban las anécdotas de sus tertulias. En una de ellas, en 1934, alguien le preguntó si era cierto que se producían con frecuencia tiroteos en su barrio, a lo que Valle-Inclán respondió: «Con decirle que anoche me saludó el sereno diciéndome: "Señorito ¡sin novedad en el frente!"».

Apogeo cultural

El ambiente de la República estimuló el desarrollo de la ciencia y de las letras. El nuevo régimen adoptó la línea pedagógica del Instituto-Escuela. Se creó la Escuela de Arabistas, las Residencias de Estudiantes, y la Fundación Nacional de Investigación. Asimismo se crearon la Universidad Autónoma de Barcelona, la Universidad Menéndez Pelayo en Santander y las Universidades Populares.

libros más famosos, con un elitismo que le alejaba de los planteamientos socialistas o sindicalistas. Propuso la construcción de un partido nacional que estuviera por encima de las clases, mostrándose contrario a muchos de los aspectos del Estatuto de Autonomía de Cataluña.

Díaz del Moral, estudioso de los problemas agrarios, presentó un voto particular al dictamen de la Ley de Bases para la Reforma Agraria. Otros acabaron colaborando, más tarde, con el franquismo, como García Valdecasas.

Los movimientos socialistas y anarquistas realizaron durante esta época un gran esfuerzo de difusión de ideas y de nuevas propuestas para alcanzar la futura sociedad sin clases. Existía, a medida que transcurrían los años treinta, una gran preocupación por la extensión del fascismo en Europa, hecho que se solía interpretar como el recurso de los poderosos cuando el liberalismo no sirve ya para salvaguardar sus intereses. En 1934 apareció la revista «Leviatán», dirigida por el socia-

lista Araquistain, que defendía las tesis del socialismo de izquierdas. Los anarquistas, por su parte, discutían las condiciones futuras del comunismo libertario y publicaron innumerables artículos, folletos y libros, sobre este tema. «Solidaridad Obrera», «Tierra y Libertad», junto a la «Revista Blanca», fueron sus publicaciones más extendidas.

Los poetas de la generación del 27 escribieron en este tiempo sus obras más importantes: Aleixandre, Gerardo Diego, Cernuda, Salinas, Lorca, Guillén, Alberti y Miguel Hernández alcanzaron la madurez como poetas y, junto a ellos, novelistas como Ramón Sender o pensadores como María Zambrano. Es también una edad de oro para las letras catalanas, con figuras como Carles Riba, Josep M. de Sagarra, J. V. Foix, Bosch Gimpera, Rosa Sensat, Pompeu Fabra, Salvador Espriu y tantos otros. Bergamín, desde la revista «Cruz y Raya», quiso articular un catolicismo progresista en un medio de alta calidad artística y científica.

Apogeo cultural

La República no solo pretendía democratizar la vida política española. Socialistas y republicanos tenían también el objetivo de difundir la cultura. Representaba poner en práctica el ideal de la Institución Libre de Enseñanza de que el progreso únicamente era posible con la instrucción y el conocimiento. Pueblos mal comunicados y con un alto índice de analfabetismo recibían a un conglomerado de estudiantes universitarios voluntarios, y maestros que proyectaban películas, montaban obras de teatro, hacían funcionar el gramófono con música clásica o explicaban los rudimentos de la pintura con reproducciones de cuadros. En palabras de la Gaceta: «Ha llegado el momento de redimir a España por la escuela».

6

El Frente Popular

El 15 de enero de 1936, se firmó el pacto del Frente Popular con un programa basado, principalmente, en la amnistía general, la puesta en vigor de la Reforma Agraria y del Estatuto de Cataluña, la modificación de las leyes Municipal, Provincial y de Orden Público, y la ampliación de la enseñanza primaria y secundaria. No había ningún extremismo, era un programa moderado, nada revolucionario. Firmaron: Unión Republicana, Izquierda Republicana, PSOE, PCE, UGT, Juventudes Socialistas, Partido Sindicalista, fundado por Angel Pestaña, y el POUM (Partido Obrero de Unificación Marxista). En Cataluña participaron Esquerra Catalana, Acció Republicana, Partit Nacionalista Republicà Català, Unió Socialista de Catalunya y la Alianza Obrera. La CNT y los anarquistas no entraron en la coalición, pero no hicieron campaña abstencionista y algunos de sus líderes pidieron abiertamente el voto para el Frente Popular.

La campaña electoral para las elecciones de febrero de 1936 alcanzó tonos de violencia. Los candidatos se apasionaban en los mítines, y el anticomunismo y el antifascismo eran los ejes de todos los discursos, con el recuerdo de los sucesos de Asturias para exaltarlos o condenarlos. La participación en los actos programados por los partidos y coaliciones electorales era masiva y los asistentes se identificaban con las proclamas de los oradores. No había lugar para la moderación y el análisis ponderado de las situaciones pasadas y futuras.

La derecha agrupaba sus fuerzas «contra la revolución», encabezada por la CEDA, con apoyo del Bloque Nacional y llegó a acuerdos concretos con la Lliga y los radicales, pero sin la participación de Falange Española. En Euskadi el Partido Nacionalista Vasco se presentó en solitario.

Las elecciones se realizaron el 16 de febrero. El 20, las juntas electorales confirmaban el triunfo del Frente Popular, que había ganado en las principales zonas industriales y urbanas, con un total de 4.654.116 votos frente a los 4.503.524 de la derecha. Los partidos de centro (radicales, Lliga, progresistas, PNV...) sólo obtuvieron 526.615 votos. La Ley Electoral primaba a las mayorías y por ello los diputados de la izquierda fueron 278 frente a 130 de la derecha y 40 del resto de los partidos. Las llamadas dos Españas estaban definidas y parecían irreconciliables.

A partir de entonces, se desencadenaron una serie de acontecimientos. Los sindicatos y los partidos obreros querían acelerar las reformas y, si

Elecciones de febrero

El mismo Gil Robleas reconoció en su libro *No fue posible la paz,* que «las derechas españolas nunca fueron demasiado afectas a la democracia. A los que encarnaban la tradición monárquica legitimista, les repugnaba doctrinalmente un principio que consideraban como la síntesis política del racionalismo. A otros (...) les alarmaba por lo peligrosa que pudiera resultar su aplicación».

cabe, poner las bases de la futura sociedad revolucionaria, aunque muchos republicanos y socialistas procuraban que las cosas no se desbordaran. Después del triunfo del Frente Popular pretendieron, en muchos casos, una transmisión rápida de poderes, sin esperar a la constitución de las Cortes.

La derrota de la CEDA dejó a la derecha, partidaria hasta entonces de utilizar los mecanismos legales de la República, sin saber a qué atenerse. Pasar a la oposición y esperar unas nuevas elecciones podía significar el riesgo de su ruptura. Los sectores más extremistas eran proclives a adoptar una posición claramente beligerante contra los partidos y los dirigentes de la izquierda y, por tanto, estaban dispuestos a colaborar con la extrema derecha de Renovación Española o con los carlistas. Muchos jóvenes de las JAP sentían simpatía por los símbolos y las actitudes militaristas de Falange Española y compartían también los ideales de un Estado corporativo.

La izquierda no hacía distinciones y consideraba a Gil Robles como un líder del fascismo, a

Las dos Españas

Las únicas elecciones municipales celebradas en tiempos de la República fueron las de abril de 1933, donde votaron por primera vez las mujeres. Las derechas consiguieron un buen resultado que presagiaba el futuro triunfo de noviembre. El 16 de febrero de 1936 se celebraron nuevamente elecciones generales, con la victoria del Frente Popular. La participación electoral fue del 72 %, con un censo de 13.553.710 votantes.

pesar de que éste declaró, en marzo del 36, que la oposición al nuevo gobierno no sería destructiva, sino prudente y moderada; y la misma comisión nacional de la CEDA precisaba en un manifiesto que el partido no pensaba «remotamente en soluciones de fuerza». Sin embargo, a Gil Robles se le atribuyó participación en conspiraciones militares. En todo caso, su ambigüedad estaba en contraposición con las actitudes de Giménez Fernández o de Luis Lucía, dirigente de la Derecha Regional Valenciana, partidario de respetar, con todas sus consecuencias, la legalidad republicana. En aquellos meses, otros militantes de la CEDA abandonaron el partido e ingresaron en los sectores violentos de la extrema derecha para participar, posteriormente, en el levantamiento militar.

Alcalá Zamora, el único vínculo con un republicanismo liberal y de derechas, fue destituido por las nuevas Cortes, en abril del 36. Azaña pasó a ser el presidente de la República y Casares Quiroga, primer ministro. Companys se reincorporó a la Generalitat. El general Franco y Gil Robles propusieron la declaración del estado de guerra

Azaña, tras las elecciones del 36, fue de nuevo presidente del Consejo de Ministros, pero pronto pasó a ser presidente de la República, al presentar Indalecio Prieto, el 3 de abril de 1936, una moción de censura en las Cortes contra Alcalá Zamora. Los partidos del Frente Popular no le perdonaron la entrega del gobierno a Lerroux en 1933, ni la disolución de las Cortes Constituyentes. Tampoco le apoyaron los radicales ni la CEDA.

Violencia generalizada

Al igual que cuando se proclamó la II República, muchos ciudadanos salieron a la calle para manifestarse a favor del triunfo de las candidaturas del Frente Popular. Pero la sociedad española estaba dividida y ya no existía la unanimidad del 14 de abril de 1931. Las derechas empezaron a cuestionarse si el resultado de las elecciones daba pie a tomar medidas que consideraban antecedentes de la revolución.

como un medio para detener lo que estimaban era el comienzo de una revolución.

La violencia se recrudeció y proliferaron los atentados de uno y otro signo. Los entierros de las víctimas daban lugar a grandes manifestaciones políticas. Sin embargo, vista en perspectiva, la situación no era tan catastrófica como parecía deducirse de las incompatibilidades ideológicas. Es verdad que el Instituto de Reforma Agraria fue autorizado a ocupar, inmediatamente, cualquier finca con un carácter provisional, siempre que se considerara de utilidad social, y que comenzó a elaborarse el Estatuto de Autonomía Vasco, pero a pesar de los deseos y proclamas no tenía por qué desembocar todo el proceso en una revolución y, desde luego, no existía, como pensaban las derechas, un plan preconcebido de llevarla a término.

La CNT celebró un congreso en Zaragoza, en el mes de mayo, y a él se incorporaron los sindicalistas que la habían abandonado en 1932, llegando a una solución de compromiso en la que se aludía, vagamente, al comunismo libertario. Las Juventudes Socialistas y Comunistas se unifica-

ron, pasando al control del PCE, que por entonces era un grupo minoritario, compacto y muy activo, que, siguiendo las directrices de la III Internacional, había pasado de llamar «socialfascistas» a los socialistas a propiciar la colaboración de todas las fuerzas progresistas en un frente unitario. Tenían en Dolores Ibarruri, *La Pasionaria*, la oradora más convincente.

Largo Caballero continuó enfrentándose a Prieto, representante del socialismo moderado y centrista dentro del PSOE, y buscó la alianza de los sindicatos y los partidos de izquierdas para lanzar un programa obrero contrario a la colaboración gubernamental con los republicanos de izquierdas.

Violencia generalizada

No pudo, por tanto, recomponerse entre los republicanos y los socialistas la conjunción de los primeros años de la República, por lo que fueron sólo los primeros los responsables de llevar a término el programa mínimo por el que habían votado muchos españoles al Frente Popular. La izquierda socialista quería ampliar su base con los comunistas y propiciar un acercamiento a los anarcosindicalistas de la CNT para alcanzar, algún día, un gobierno obrero sin las rémoras pequeño-burguesas de los republicanos.

Las derechas y algunos militares conspiraban para acabar con aquel sistema político. Casares Quiroga llegó a acusar a Calvo Sotelo de estar propiciando un golpe de Estado y éste replicó que era un hombre de anchas espaldas. Moriría un mes más tarde, a manos de pistoleros, al igual que el teniente Castillo, simpatizante socialista, por grupos de extrema derecha. El ambiente se puso al rojo vivo. Todo parecía precipitarse hacia un enfrentamiento fatal. La República, a la postre, tenía pocos republicanos que apoyasen las estructuras creadas por la constitución de 1931; unos querían transformarla y otros eliminarla.

Retrato de *Pasionaria*. Así se conoce a la dirigente comunista Dolores Ibarruri, nacida en Bilbao, hija y esposa de minero. Participó en la lucha obrera desde muy joven, mostrando una gran capacidad oratoria. Ascendió pronto en los altos cargos del PCE y fue elegida diputada a Cortes por Asturias en 1936. En el exilio continuó con su actividad política y regresó a España en 1977.

7

Los españoles cogieron el fusil: 1936-1939

Muchos de los escritores y corresponsales extranjeros que visitaron las principales ciudades españolas en las que la rebelión militar no había triunfado, destacaron el ambiente revolucionario de calles y plazas. En Barcelona, los obreros armados, los milicianos, poblaban las Ramblas, los cafés y los hoteles, vestidos con el típico mono donde el gorro y la corbata habían desaparecido.

Al final no pudo evitarse otra guerra entre españoles. El tono reformista de la II República se desbordó y ésta no pudo consolidarse como alternativa al sistema oligárquico de la Restauración, controlado sólo por unos pocos burgueses, terratenientes y políticos. Las conspiraciones habían comenzado casi al mismo tiempo que el triunfo del Frente Popular. En marzo de 1936, un grupo de generales propuso un movimiento, sin etiquetas determinadas, pero con el propósito de «evitar la ruina y la desmembración de la patria», pero esta propuesta no llegó a nada concreto.

Por otra parte, el Gobierno que se formó a partir de las elecciones de febrero, se desligó, en marzo, de algunos generales de ideología conservadora con influencias dentro del Ejército. Franco recibió el mando de Canarias, Goded fue a Baleares y Mola pasó a Navarra como comandante militar. Precisamente será este último —«El Director» como se le conocía en el lenguaje clandestino— el organizador de la rebelión, y Sanjurjo,

retirado en Lisboa, el dirigente máximo. Poco a poco se fue creando una trama de militares y algunos civiles a la que se incorporó, en el último momento, Franco.

El golpe

El levantamiento, señalado para el 18 de julio, se adelantó en Melilla al 17, constituyéndose una Junta Militar. La rebelión se extendió por Marruecos en pocas horas. Allí estaba la mayor guarnición del país con un total de 30.000 hombres, más unos 12.000 marroquíes, pertenecientes a los cuerpos de regulares, y tropas jalifianas que dependían teóricamente del Sultanato, pero estaban bajo el control de España. Entre ellos se encontraba el «tercio de extranjeros», la Legión, formada en su mayoría por soldados españoles, con gran espíritu de combate: se componía de toda clase de fugitivos y marginados que querían rehabilitarse o permanecer a salvo de ser detenidos.

Franco se sublevó en Canarias y tomando un avión —el Dragón Rapide— el mismo 18 de julio, llegó a Tetuán el 19, donde asumió el mando

La rebelión del 18 de julio

Los alemanes establecieron un puente aéreo entre Tetuán y Sevilla. Los aparatos transportaban unos 500 soldados por día. Pero el grueso de las tropas rebeldes estaba todavía en Marruecos y los buques republicanos les impedían el paso. A partir del 5 de agosto, Franco decidió su traslado desde Ceuta a Algeciras; la ayuda alemana y la indecisión de la marina republicana permitieron al ejército de Marruecos alcanzar la Península.

La rebelión del 18 de julio

Queipo de Llano pasa revista al Primer Tercio de la legión en Sevilla. Participó en el levantamiento antimonárquico de 1930 y hubo de exiliarse en Portugal. Al proclamarse la República regresó a España y fue nombrado capitán general de la Primera Región, jefe de la casa militar del Presidente y director general de los carabineros. Miembro de la conspiración, estuvo al frente del ejército rebelde del Sur. Fue capitán general de Sevilla y murió en 1951.

de las tropas marroquíes. En la Península las cosas no fueron tan fáciles. La rebelión fracasó en la mayoría de los núcleos industriales y en las principales ciudades, salvo en Sevilla, donde el general Queipo de Llano, con gran audacia y unas pocas fuerzas consiguió dominar la ciudad, aplastó cualquier tipo de reacción de los sindicatos y utilizó la radio como medio de propaganda.

En Madrid y Barcelona los militantes de los partidos de izquierdas y de las centrales sindicales se enfrentaron decididamente a la insurrección, con el refuerzo de la guardia de asalto y de la Guardia Civil. El general Goded llegó a Barcelona desde Mallorca para ponerse al frente de los rebeldes, pero fue hecho prisionero por los milicianos y las tropas leales a la República. En la capital la lucha adquirió su máximo dramatismo en el Cuartel de la Montaña, controlado por el general insurrecto Fanjul y por varios falangistas. La intervención de algunos oficiales republicanos, los de asalto y la aviación, sofocó también la resistencia en los cuarteles de Getafe. En Valencia y en el País Vasco fracasó igualmente la rebelión, pero no así en Zaragoza, Valladolid, Burgos, Pamplona y Galicia.

El Gobierno recibía noticias confusas y tardó en reaccionar. Parecía como si no pudiera admitir que el levantamiento tuviese posibilidades de éxito. Casares Quiroga dimitió al no poder controlar la situación. Le sucedió momentáneamente Martínez Barrio, que trató de negociar con Mola, pero éste se negó. Fue Giral el que, al final, se decidió a armar las milicias populares, muchas de ellas constituidas por sindicalistas voluntarios.

El poder del Estado se desmembró. Surgieron comités en pueblos y ciudades que controlaban la justicia y la policía, y cada partido o sindicato tenía sus patrullas de control e incluso sus propias cárceles.

Leales y rebeldes

Los conspiradores habían organizado todo para que la rebelión surgida en los principales núcleos de población confluyera en Madrid, en una operación rápida, pero se encontraron con que la mayor parte de la España industrial —el País Vasco, Alava, Cataluña, Valencia y Madrid— permanecía leal a la República. Euskadi, zona tradicionalmente conservadora y católica pero nacionalista, luchó en defensa del régimen democrático ante la promesa de obtener un Estatuto de Autonomía, finalmente aprobado por las Cortes el 1 de octubre de 1936. J. A. Aguirre fue el presidente del primer gobierno vasco, refrendado por los concejales de los ayuntamientos que pudieron emitir su voto.

Una parte del Ejército y de la Guardia Civil no secundó la insurrección. A pesar de esto, los rebeldes confiaban todavía en tomar Madrid en unas semanas y planearon todo en función de este objetivo, pero transcurridos los primeros días, el golpe militar, que sólo había tenido éxito en una parte de España, se transformó en una guerra civil que duró casi tres años.

Director General de Seguridad con Berenguer, el general Emilio Mola fue procesado y expulsado del ejército tras proclamarse la República y hasta la amnistía de 1934. En 1936 fue destinado a Navarra, desde donde preparó el levantamiento militar. Una vez nombrado Franco jefe del Estado, quedó al mando del ejército del Norte. Murió en accidente de avión en 1937.

8

De las milicias al ejército popular

La guerra se realizó al principio mediante columnas de soldados o milicianos, rápidas y móviles. Eran unidades básicas de combate con predominio de la infantería. Dependían de la resistencia que se les opusiese en los primeros momentos para la ocupación y consolidación del terreno.

Las milicias voluntarias, constituidas por las organizaciones obreras del bando republicano como alternativa al ejército regular, fueron militarizadas en octubre, cuando Largo Caballero era ya primer ministro y los comunistas y anarquistas habían entrado en el Gobierno. Mientras tanto, los rebeldes actuaban en los primeros momentos con «columnas» formadas por pequeñas unidades, con infantería, artillería y caballería, a las que se incorporaron, en algunos casos, milicias falangistas o carlistas.

Navarra, con Mola, y Sevilla, a donde se había trasladado Franco, eran las bases principales de los golpistas. No existía todavía un mando único. Sanjurjo sufrió un accidente de aviación y murió en Portugal. Los generales rebeldes dirigieron sus fuerzas hacia Madrid, pero las tropas de Mola quedaron paralizadas por la resistencia de las milicias republicanas en Somosierra. En el Sur, las

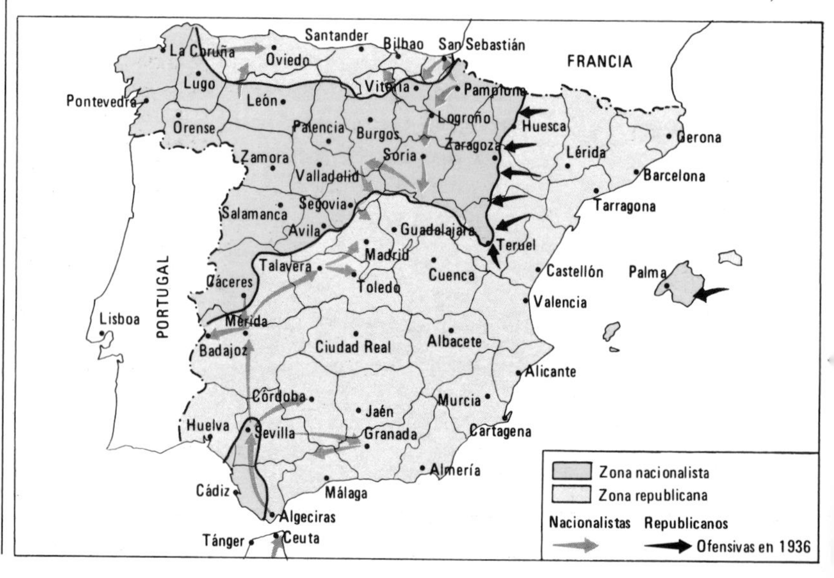

mejores tropas marroquíes atravesaron con normalidad el estrecho de Gibraltar, a partir del 5 de agosto, desde Ceuta y consolidaron y aumentaron sus posiciones en la Andalucía del Guadalquivir. Los coroneles Tella y Yagüe avanzaban hacia Extremadura. El 11 de agosto ocuparon Mérida, el 14 Badajoz y el 3 de septiembre llegaron a Talavera. El 9 se consiguió el enlace entre las tropas del Norte y del Sur. El general Varela logró ayudar a Moscardó, que había quedado retenido en el Alcázar de Toledo y resistía el asedio de los republicanos. Esta resistencia convirtió a Moscardó en un símbolo ejemplar para el llamado bando nacional.

El 1 de octubre de 1936, la Junta Militar presidida por el general más antiguo, Cabanellas, que se sublevó en Zaragoza, nombró a Franco «Jefe de gobierno del Estado» y «Generalísimo de los Ejércitos», lo que le convirtió en la cabeza visible de la insurrección.

Los republicanos iniciaron tímidamente, bajo la dirección del general Miaja, la contraofensiva y

Primeros enfrentamientos

Los militares rebeldes contaban con las tropas más preparadas del ejército español: legionarios y regulares del norte de Africa, donde había un número considerable de marroquíes alistados, y los voluntarios falangistas o de otro tipo, complemento de apoyo para los soldados. En cambio, en el bando republicano el ejército sufrió una gran transformación. Los milicianos, voluntarios en su inmensa mayoría, que habían conseguido armas en los cuarteles, formaban un conjunto heterogéneo, agrupados por afinidades ideológicas y mandados en los primeros tiempos por líderes sindicales o políticos como Durruti, Cipriano Mera, Líster, *El Campesino*, etc.

La batalla de Madrid

recuperaron Albacete, pero no pudieron reconquistar Córdoba. Avanzando desde Navarra, los rebeldes tomaron Irún el 5 de septiembre y San Sebastián el 13, quedando el frente sobre el río Deva. El general Aranda se había hecho con el control de Oviedo y esperaba la ayuda de las columnas venidas desde Galicia para romper el cerco de la ciudad.

Pero uno de los hechos más sobresalientes fue la batalla de Madrid. Se luchaba en la Casa de Campo, en la Ciudad Universitaria, palmo a palmo, pero la capital seguía fiel a la República, a pesar de que el 6 de noviembre de 1936, el Gobierno, presidido desde septiembre por el socialista Largo Caballero, se trasladó a Valencia, dejando la ciudad en manos de una Junta de Defensa presidida por Miaja. El ejército republicano, los milicianos y las Brigadas Internacionales resistieron. Había acudido también el legendario Durruti con sus hombres, que tuvieron su bautismo de fuego combatiendo en Aragón, cuando, desde

Este lema de la foto resumía la moral de los resistentes de Madrid ante el avance de las tropas sublevadas. Cuando el gobierno de Largo Caballero creyó que la capital estaba irremisiblemente perdida ante el acoso del general Varela y se trasladó a Valencia, los milicianos y soldados de la ciudad organizaron su defensa; bajo la dirección del entonces comandante Vicente Rojo, jefe del Estado Mayor y del general Miaja, presidente de la Junta de Defensa, consiguieron parar el avance de los militares rebeldes.

Cataluña, se dirigieron a recuperar la zona e hicieron retroceder a los rebeldes en muchos pueblos, pero a pesar de sus esfuerzos no consiguieron conquistar Zaragoza.

Desde Guadalajara, Franco intentó montar una gran operación para ocupar la capital de España, con la ayuda del ejército italiano, pero los republicanos lograron, en una dura lucha, pasar al ataque y evitar la ofensiva.

La batalla de Madrid dio un giro importante a la guerra, pues hasta entonces, a pesar de los duros combates, ambos bandos habían movilizado pocos efectivos. Los republicanos, con un ejército en fase de militarización, organizaron las brigadas mixtas, compuestas por unos 4.000 hombres de distintos cuerpos y armas. Franco descubrió que la guerra no podía durar sólo unos meses, por lo que replanteó su estrategia y organización, dirigiéndose a otros puntos para aislar la capital y reducir el territorio controlado por el Frente Popular.

La batalla de Madrid

Miaja, presidente de la Junta de Defensa de Madrid, se mantuvo fiel a la República y, ante el avance de los rebeldes hacia la capital, recibió la orden de defenderla. Después fue nombrado jefe del Ejército del Centro y del Grupo de Ejército de la Región Central. Apoyó el golpe del general Casado, aceptando presidir el Consejo Nacional de Defensa.

Intervención extranjera

La guerra adquirió desde el primer momento un carácter internacional. El Gobierno tuvo que utilizar el oro del Banco de España para la adquisición de armas en el extranjero. Hitler y Mussolini apoyaron, decididamente, a los insurrectos con material bélico, aviones, tropas y dinero. En Francia, León Blum, socialista y jefe de un gobierno frentepopulista, junto a los sindicatos franceses, era partidario de la República pero, sin embargo, propuso la fórmula de «no intervención» el 8 de agosto de 1936, con la esperanza de que ambos bandos se agotaran pronto. Su aliada Gran Breta-

La propaganda a través de carteles expuestos en los escaparates de los comercios, estafetas de correos, cafés, bares y locales de las organizaciones políticas, sirvió en ambos bandos para dar mensajes claros a la población o a los soldados del frente. Abarcaban muchos aspectos de la vida de la España en guerra. Prestigiosos artistas —Renau, Monleón, Bardasano, los hermanos Ballesteros, Martí Bas, en el bando republicano; Flos, Sáenz de Tejada, en el nacional— pintaron con sus estilos diferentes muchos de ellos.

ña defendía enérgicamente la idea con el fin de no desequilibrar la frágil paz de Europa, ante las pretensiones alemanas, y de poder mantener intactos los intereses británicos en España. En la práctica esta medida no funcionó; germanos e italianos siguieron ayudando a los «nacionales» y el Partido Comunista adquirió un papel destacado ante el decidido apoyo de la Unión Soviética, cuyo embajador, Rosemberg, tuvo cierta influencia en los círculos políticos y militares republicanos.

Pero la contienda no fue sólo un problema de las cancillerías. El conflicto alcanzó dimensiones populares en Europa y en América. Para muchos, estaba dirimiéndose una lucha contra el fascismo, para otros, los menos, se estaba combatiendo contra el comunismo opresor y a favor de los valores religiosos. Intelectuales, políticos, sindicalistas, ideólogos y parados, constituyeron las Brigadas Internacionales, para respaldar a la República y lo que entendían era la causa de la libertad.

España, tan apartada del contexto internacional durante tantos años, iba a centrar la atención de las gentes del mundo.

Entre el poder y la revolución

El gobierno de Largo Caballero dirigió parte de su actuación a recomponer el poder de la República, que había quedado fraccionado desde los primeros días del levantamiento militar. Los partidos obreros del Frente Popular y los sindicatos tomaron la iniciativa, la mayoría de las veces, con las armas en la mano e impusieron su criterio en los comités revolucionarios, que adoptaron múltiples formas según lugares y regiones. El Consejo de Aragón estaba controlado por la CNT y sancionó las colectivizaciones de tierras. En Cataluña, el poder libertario adquirió la hegemonía en

Intervención extranjera

Cuando estalló la guerra, muchos propietarios abandonaron sus tierras, huyeron o se escondieron. En las zonas donde no triunfó la rebelión, los campesinos, apoyados por la CNT, en unas, y por la UGT-CNT, en otras, se incautaron de las tierras y las colectivizaron trabajándolas conjuntamente, como en Aragón, Valencia, Castilla y La Mancha. Durruti fue uno de los líderes carismáticos de la CNT que con sus milicianos en el frente de Aragón facilitó la formación de colectividades agrícolas.

Guerra y revolución

La guerra de España adquirió una dimensión popular como ninguna otra lo había hecho desde los tiempos de la Revolución Francesa. Una gran cantidad de voluntarios se alistaron para luchar por la libertad, dispuestos a perder su vida para contener a lo que ellos consideraban la pérdida de la independencia intelectual y política del mundo: el fascismo.

los primeros momentos a través del comité central de milicias antifascistas, pero, poco a poco, la Generalitat, apoyada por los republicanos de la Esquerra, por los comunistas del PSUC (Partido Socialista Unificado de Cataluña), surgido de la unidad entre éstos y los socialistas catalanes, y, posteriormente, por los propios anarquistas, recuperó su papel institucional y sobrepasó, incluso, las atribuciones del Estatuto, entrando en conflicto con el gobierno de la República. El ejecutivo catalán exigió, por ejemplo, la concesión de divisas para establecer un comercio exterior que le permitiera adquirir productos y armas sin el control del poder central.

En otros lugares el predominio de socialistas o comunistas, como en Santander o en Asturias, posibilitó la reorganización, de manera autónoma, de los mecanismos del Estado. En Valencia, el comité popular mantuvo el equilibrio entre todas las fuerzas frentepopulistas, así como la participación igualitaria de la UGT y de la CNT.

Pero la guerra no sólo provocó la descomposición del poder político estatal, sino que inició un proceso de transformaciones económicas y sociales, bajo la dirección principal de los sindicatos.

En aquellos días, muchos propietarios de tierras y empresarios abandonaron sus propiedades asustados por las posibles represalias personales, y otros fueron considerados colaboradores de los rebeldes. En ambos casos, tierras, talleres y fábricas pasaron a manos de obreros y campesinos. La colectivización fue vista por muchos socialistas y anarcosindicalistas como el único camino para acabar con la explotación y la miseria del campesino, aunque cabía también la coexistencia con los pequeños y medianos propietarios. En algunas ocasiones, éstos tuvieron enfrentamientos con los colectivistas y contaron con el apoyo político de los comunistas.

El PCE atribuyó a las colectividades la ineficacia y desorganización de los anarquistas y las tachó de experiencia poco adecuada para unos momentos de guerra.

En el País Vasco, la estructura de la propiedad industrial no sufrió ninguna transformación importante, pero en Cataluña los trabajadores lo controlaban todo tras la derrota del levantamiento militar en Barcelona. También en Asturias y en el País Valenciano las industrias fueron colectivizadas. Hubo, además, que improvisar fábricas de armamento para afrontar todas las necesidades bélicas.

Todos estos acontecimientos, que surgieron con la guerra, fueron los que han servido para hablar y escribir sobre una revolución social, proporcionando a algunos la justificación del levantamiento militar, como única fórmula para detener el proceso, aunque, en realidad, ni los partidos ni las organizaciones obreras tenían nada previsto cuando triunfó el Frente Popular.

Guerra y revolución

La evolución y el resultado de las colectivizaciones provocaron, desde sus inicios, discusiones sobre su oportunidad y eficacia. Para los anarquistas era, sin duda, el camino de la revolución social. También se colectivizaron industrias en Cataluña y en Valencia. El 24 de octubre de 1936, la Generalitat catalana publicaba el decreto de Colectivizaciones que intentaba regular el proceso en las industrias incautadas y establecer los Consejos Generales de Industria, encuadrados en el Consejo de Economía del Gobierno Autónomo catalán.

9

Pérdidas militares y crisis política

Se había logrado detener el ataque de Madrid, pero Málaga cayó el 8 de febrero con la ayuda de las tropas italianas.

Los últimos reductos de la cornisa cantábrica —Vizcaya, Santander y Asturias— pasaron a manos de las tropas de Franco, entre abril y octubre de 1937, con la participación de los requetés carlistas y de la aviación alemana que, el 26 de abril, destruyó totalmente, en una operación sangrienta, la ciudad de Guernica. El 19 de junio, ocuparon Bilbao. Los batallones nacionalistas vascos —los gudaris— se rindieron a las tropas italianas en Santoña.

El ejército republicano, entonces, trató de recuperar la iniciativa y se planearon las operaciones de Brunete y Belchite, con el fin de distraer a las fuerzas enemigas. El general Mola murió en accidente de aviación y fue sustituido por el general Dávila.

Las tropas rebeldes alcanzaron el Mediterráneo en abril de 1938, partiendo la República en dos y haciendo cada vez más difícil su pervivencia. Tras la batalla del Ebro, el ejército popular perdió gran cantidad de efectivos y no pudo resistir el avance de los nacionales por Cataluña.

En mayo, en Barcelona, se enfrentaron los comunistas del PSUC y los republicanos de Companys con los anarquistas y los marxistas del POUM. Existían dos formas de entender el proceso de la guerra: los que defendían acelerar la revolución y colectivizar tierras y fábricas, como pensaba una parte importante de anarquistas, trotskistas y algunos socialistas, y los que centraban todo en la militarización —comunistas, republicanos y socialistas— sin aventurarse en experimentos revolucionarios, contraproducentes porque dispersaban las fuerzas que habían de derrotar a Franco. Ello significó que el bando republicano no mantuviera la coherencia necesaria y se produjeran disputas entre sus líderes. Los propios socialistas acentuaron las divergencias entre los diversos sectores del PSOE, a la vez que llevaron su batalla contra el PCE, que adquiría cada día más relevancia.

Los anarcosindicalistas tuvieron que modificar sus planteamientos cuando entraron en los go-

Guerra y revolución

El 8 de febrero de 1937 la ciudad de Málaga y su territorio cayó en manos franquistas. Mussolini pensaba que Franco llevaba la guerra con mucha lentitud y poca eficacia. De esa manera decidió la incorporación de tropas italianas y envió el Corpo Truppe Volontaire, compuesto por una división militar y por tres de milicianos fascistas al mando del general Roatta.

biernos de la Generalitat y de la República y, desde el poder, centraron sus mejores esfuerzos en ganar la guerra, aunque las bases de la CNT no asimilaron estas nuevas directrices con la misma rapidez que sus dirigentes. Estaban demasiado acostumbrados a luchar por la desaparición del Estado para que pudieran asumir, sin traumas, que debían romper con su tradición y contribuir al fortalecimiento de los gobiernos.

Después de los sucesos de mayo y de una situación militar cada vez peor, con pérdida de ciudades y territorios, Largo Caballero dimitió y le sucedió el también socialista Negrín, que, hasta entonces, había sido ministro de Hacienda. Los anarquistas ya no estaban en el ejecutivo y su fuerza empezaba a declinar. El Gobierno trasladó su residencia, el 30 de octubre de 1937, de Valencia a Barcelona.

Al estallar la guerra Franco tenía 43 años; era uno de los generales de división más jóvenes de Europa. De 1,64 metros de estatura, pasaba por ser reservado, respetuoso, frío, distante y algo tímido. Había nacido en El Ferrol el 4 de diciembre de 1892 e hizo la mayor parte de su carrera en Marruecos, entre 1912 y 1926, con ascensos rápidos que le proporcionaron el grado de general de brigada a los 33 años. A partir de octubre de 1936 se convirtió en el eje de la España sublevada. Su nombramiento como Generalísimo y Jefe del Estado venía avalado por la importancia que en la guerra adquirió el ejército norteafricano que él dirigía. Además, su indefi-

En diciembre de 1937, la lucha giraba en torno a Teruel. El ejército de la República consiguió conquistar la ciudad el 7 de enero de 1938 pero la perdió el 22 de febrero del mismo año. Las tropas franquistas desmantelaron las posiciones gubernamentales en Aragón, ocupando la vertiente sur del Ebro, la zona del Maestrazgo en Castellón y alcanzando Vinaroz el 15 de abril. Cataluña quedó aislada. Posteriormente, se dividieron y una parte se dirigió al Este, a Lérida, mientras otra iba hacia el Sur para atacar Valencia. Los republicanos intentaron, desesperadamente, una ofensiva en el Ebro, por Mequinenza y Cherta. Las batallas más duras se produjeron en septiembre, y los nacionales reaccionaron con una contraofensiva que se inició el 28 de octubre, el mismo día en que las Brigadas Internacionales abandonaban la Península.

La República se rompe

nición política y su sentido de la autoridad militar le hicieron el candidato más idóneo de la Junta de Defensa para establecer la unidad de mando del bando nacionalista. Nadie en aquellas fechas preveía para él una larga permanencia en la Jefatura del Estado. Aquí lo vemos con sus ministros en Vinaroz, en 1938.

10

El hundimiento de la República y la victoria de Franco

A medida que pasaban los meses el conflicto español adquiría todas las características de una conflagración parecida a la de la I Guerra Mundial, con lucha de trincheras y de frentes que avanzaban con el apoyo de la artillería.

A finales del año 1938, los pueblos y ciudades de Cataluña cayeron en poder de los insurrectos. El 26 de enero, tomaron Barcelona y el 9 de febrero, alcanzaron la frontera pirenaica. Negrín era partidario de continuar la guerra a toda costa, intuía que en Europa pronto estallaría la Guerra Mundial y el conflicto de España podría enmarcarse en el internacional.

Ya en mayo de 1938, el Gobierno había redactado un documento, «Los Trece Puntos», en el que se proponía finalizar con la injerencia extranjera, garantizar la continuidad de la democracia y la exclusión de toda persecución política tras el enfrentamiento bélico. Otros deseaban una paz pactada para evitar al máximo la represión. Sin embargo, Franco promulgaría la Ley de Responsabilidades Políticas que no permitía ninguna concesión y que declaraba la responsabilidad política tanto de las personas jurídicas como de las físicas

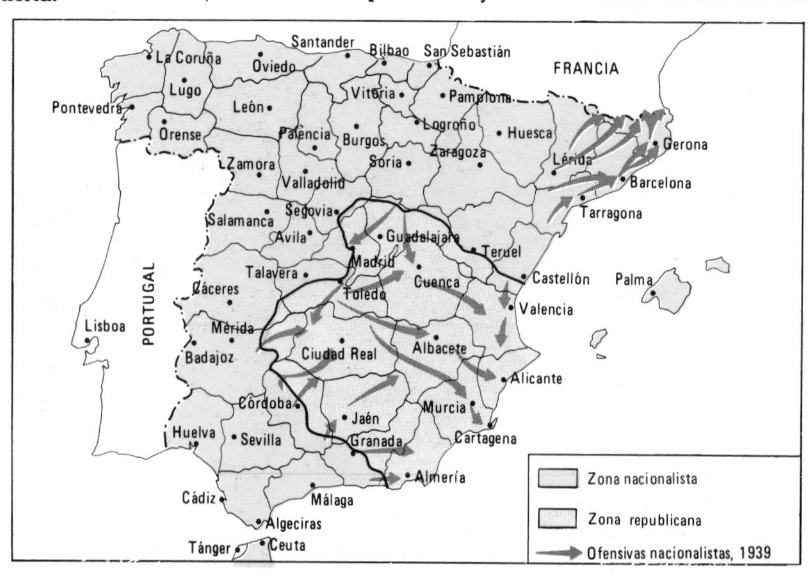

que, desde el 1 de octubre de 1934 hasta el 18 de julio de 1936, hubiesen contribuido a crear o a agravar la subversión, así como aquellas otras que se hubieran opuesto, a partir de aquellas fechas, al Movimiento Nacional con actos concretos o pasividad grave. Era una puerta abierta a cualquier tipo de represalia.

Persecuciones políticas

Las persecuciones políticas y personales habían tenido lugar desde los primeros momentos. Los sublevados, cuando tomaban un pueblo o una ciudad, solían fusilar, numerosas veces sin juicio, a quienes se habían destacado en defensa de la República o daban pie para que las fuerzas que les apoyaban eliminaran a sus enemigos políticos. Aquellos días no daba lo mismo ser apresado por una partida incontrolada de falangistas o requetés que por la Guardia Civil; ésta, generalmente, trasladaba a los detenidos a la cárcel o a los campos de concentración, donde muchos fueron juzgados sumarísimamente por tribunales militares y condenados a muerte. Igual solía ocurrir en el bando republicano, donde grupos de milicia-

La aviación no se limitaba a atacar los frentes, sino que servía para aterrorizar a la población con el bombardeo de pueblos y ciudades. Uno de los casos más espectaculares y cruentos fue la destrucción de la población vasca de Guernica por la Legión Cóndor alemana, que actuaba en apoyo de los franquistas.

Represión y exilio

En el Consejo de Ministros que celebró el gobierno de la República bajo la presidencia de Negrín el 29 de marzo de 1938, el ministro de la Guerra, Indalecio Prieto, presentó un informe lleno de pesimismo sobre la suerte de la misma. Pensaba que el ejército franquista llegaría pronto al Mediterráneo, con el desastre final para las tropas republicanas. Propuso entonces medidas para organizar la asistencia de los refugiados. Negrín pensó entonces que un ministro que tenía tal actitud no podía continuar al frente de las responsabilidades de la guerra, pero le propuso para ocupar otra cartera. Prieto no aceptó.

nos ajusticiaban a todo aquel que era tachado de faccioso. Los «paseos» fueron habituales, sin que el Gobierno o los poderes locales pudieran evitarlo. Existen ejemplos en ambos bandos de crueldad y de odio y el hecho resalta aún más al realizarse entre españoles que se negaban unos a otros. Los llamados «nacionales» hablaban de los «rojos» como los antiespañoles, y éstos acusaban a los primeros de fascistas y de reaccionarios, que querían impedir el progreso de España. Muchos prisioneros de la República murieron en Paracuellos del Jarama, cerca de Madrid. José Antonio Primo de Rivera fue fusilado el 20 de noviembre en Alicante. En Extremadura, las tropas marroquíes, acostumbradas a la guerra del desierto, fusilaban por doquier. A medida que el tiempo pasaba, el odio se acrecentaba y resultaba más inevitable la eliminación del contrario. El «Movimiento», término que fue extendiéndose entre los rebeldes como símbolo de un orden nuevo, excluía a todos los que no se sumaran a la sublevación.

En Madrid, el general Casado dio un golpe de Estado el 5 de marzo de 1939 y nombró un Consejo de Defensa, frente al ya casi inexistente Gobierno, con socialistas, anarquistas y republicanos. Excluyó a los comunistas e intentó llegar a un acuerdo para lograr una paz sin represalias con Franco, que entró en Madrid el 28 de marzo. Los miembros del Consejo, excepto Julián Besteiro, abandonaron España. El líder socialista, hecho prisionero y juzgado por un tribunal militar, fue condenado a 30 años de cárcel.

En los últimos días de la contienda, muchas familias se dispersaron y buscaron formas para salir de España. Gran número de combatientes, políticos e intelectuales, junto con mujeres y niños, se agolpaban en el puerto de Alicante con la esperanza de coger los barcos que debían transportarlos fuera de la Península; pero los buques no llegaron a entrar en el puerto. Los soldados italianos entraron en la capital alicantina el 30 de marzo y bloquearon el puerto, mientras los allí concentrados comenzaban a rendirse. También la frontera francesa fue cruzada por gran cantidad de españoles que huían de la represión para iniciar un largo exilio. Otros permanecieron en España y fueron encarcelados. Al finalizar la contienda, existían más de 270.000 reclusos. Muchos sufrieron depuración y no pudieron ejercer sus trabajos habituales. A partir de ese momento, empezaron a llamar rebeldes a los derrotados de la República —al «ejército rojo»— y bajo esa denominación comparecerían ante los consejos de guerra. Los partidos políticos y los sindicatos libres fueron suprimidos, y muchos de sus miembros y dirigentes pasaron por tribunales compuestos a partes iguales por representantes del Ejército, la magistratura de Justicia y destacados dirigentes del Movimiento, como si quisieran ser la contrarréplica de los tribunales populares creados, en agosto del 36, en la zona republicana, compuestos por afiliados a los partidos y a los sindicatos obreros.

Represión y exilio

Cuando las tropas de Franco avanzaban sobre Cataluña, miles de españoles atravesaron huyendo la frontera. Mujeres, ancianos, niños y combatientes, hambrientos y mal vestidos, se amontonaban en campos especiales habilitados por los franceses. Símbolo de todos ellos fue Antonio Machado, que murió «solo y ligero de equipaje» en un hotelito de Collioure, pueblo fronterizo próximo al mar, el 22 de febrero de 1939. Otros muchos no regresarían a España.

11

Director de la Academia Militar de Zaragoza con Primo de Rivera y hasta su clausura por parte de la República en 1931. Se hizo cargo de la represión de la revolución de octubre en Asturias. Gil Robles, como ministro de la Guerra, le nombró jefe del Estado Mayor central. En 1936 el Frente Popular le destinó a Canarias. Convertido en el más destacado dirigente del golpe militar, pasaría a ser Jefe de Gobierno del nuevo Estado Nacional. Murió en Madrid el 20 de noviembre de 1975.

El Estado Nacional

El 1 de abril de 1939, Franco firmó el último parte de guerra. La lucha convencional de los ejércitos había terminado. La República fue aniquilada y comenzó la formación de un «Nuevo Estado», caracterizado por la personalidad del Generalísimo, convertido también en *Caudillo*.

Al principio de los casi tres años de enfrentamientos, los militares que habían tomado las armas para imponer el orden a un régimen que, según ellos, se desbordaba en el caos y el separatismo, utilizaron todos los símbolos republicanos, que fueron cambiando en el transcurso de la guerra, siendo sustituidos, paulatinamente, por los gestos y ritos falangistas. Los primeros en usar una bandera distinta, la roja y gualda, fueron los carlistas a los que Mola había autorizado a hacerlo. Pero fue Franco quien, definitivamente, generalizó su uso, y del grito ¡Viva la República! se pasó al de ¡Viva España!

Entre julio y septiembre de 1936 el poder lo detentó la Junta de Defensa Nacional, instalada en Burgos y formada íntegramente por militares. Cuando se nombró Generalísimo a Franco, éste constituyó una Junta Técnica de Estado, a la que se incorporaron civiles. Nada se decidió sobre el futuro. Las fuerzas sociales que lo apoyaban no tenían la misma ideología; los había monárquicos alfonsinos, carlistas, falangistas, primorriveristas y derechistas de la CEDA, y el propósito de Franco era mantener, desde el primer momento, la unidad. El 19 de abril de 1937 se promulgó un decreto que reunía en una «sola entidad política de carácter nacional» a Falange Española y de las JONS y a los carlistas, que pasaba a denominarse Falange Española Tradicionalista y de las JONS. No fue unánimemente acogido en ambas formaciones y estallaron tensiones que llevaron a la cárcel a Hedilla, nombrado, provisionalmente, el jefe nacional, en tanto se despejaba la certeza de la muerte de José Antonio.

La insurrección contó desde sus inicios con el beneplácito del episcopado español, que firmó en julio de 1937 una carta colectiva —no suscrita por los arzobispos de Tarragona y Vitoria— de apoyo y de legitimación. Aunque no hacía ningún llamamiento a la guerra santa o cruzada, ambos vocablos se utilizaron profusamente entre los vencedores.

El cuñado de Franco, Serrano Suñer, que fuera diputado de la CEDA, se convirtió en su primer mentor. El nuevo régimen comenzó su andadura con escaso bagaje político. Contaba, asimismo, con escasos intelectuales (Sáinz Rodríguez, Pemán), pues en su gran mayoría (Alberti, Machado o Miguel Hernández) habían combatido ideológicamente por la República, y algunos murieron, como García Lorca, fusilado absurdamente en Granada y convertido en el símbolo de la represión indiscriminada.

El régimen del Caudillo

La Falange proporcionó al régimen de Franco una gran cantidad de símbolos y del lenguaje utilizado en los actos oficiales o multitudinarios. Los falangistas solían tutearse y utilizaban el término de «camarada» que no correspondía a las derechas tradicionales. Representaba el intento populista de integración de amplias masas.

Victoriosos y derrotados

Tras el golpe del coronel Casado, que contaba con la colaboración del socialista Besteiro, se constituyó el Consejo Nacional de Defensa el 5 de marzo del 39; no reconoció al gobierno de Negrín y se impuso en el bando republicano la negociación con Franco, quien no dio más opción que la rendición sin condiciones. El 28 de marzo las tropas franquistas entraron en Madrid.

André Chausson, en el «II Congreso Intelectual de Escritores para la Defensa de la Cultura», celebrado en Valencia en 1937, afirmaba: «Nosotros, que estamos entre la paz y la guerra, tenemos el derecho a sentir miedo: no tenemos el derecho de dejar disminuir la lucidez de nuestro espíritu (...) Lo que España ha hecho, quizás no lo hubiera hecho ningún otro pueblo del mundo. Hacía falta un desprecio por la muerte y una alegría por la vida (...) el romance de su resistencia y de su victoria».

Pero la victoria de unos significó la derrota de los otros por muchos años. Todo parecía dar la razón a los que hablaban de las dos Españas irreconciliables y excluyentes, que habían llegado al aniquilamiento físico para reafirmarse, y nadie escapaba de estar con uno de los dos bandos. Los indiferentes o neutrales nada podían hacer en aquellas circunstancias. No quedaba más solución que participar o huir. Aquello no era sólo una

lucha con armas sino también la explosión de las pasiones personales e ideológicas almacenadas durante mucho tiempo por grupos e individuos. Otros países europeos también habían pasado por trances similares en épocas más lejanas e, igualmente, cabría hablar de dos Inglaterras, dos Francias o dos Alemanias. Pero España llegaba a la mitad del siglo XX sin haber solucionado los problemas de su convivencia política en donde cupieran todos sin exclusión. A pesar de la victoria militar de unos españoles sobre otros, no iba a ser posible aniquilar totalmente al contrario. Como dijera Azaña, en 1938, a dos años del comienzo de la guerra: «En una guerra civil no se triunfa contra un contrario, aunque éste sea un delincuente. El exterminio del adversario es imposible. Por muchos miles de uno y otro lado que se maten siempre quedarán los suficientes de las dos tendencias para que se les plantee el problema de si es posible o no seguir viviendo juntos».

Victoriosos y derrotados

Una de las tragedias de mayor dimensión fue la de los niños. Muchos de ellos quedaron huérfanos, abandonados, sin nadie que los protegiera. Otros murieron por los bombardeos. Nadie como ellos refleja el drama de la Guerra Civil Española. No hay una imagen más impresionante del final de la República que los niños asustados, huyendo con sus padres por las montañas.

Datos para una historia

1930

28 de enero: Primo de Rivera es destituido y el general Berenguer se encarga de formar gobierno.
17 de agosto: Grupos no monárquicos firman el Pacto de San Sebastián.
10 de octubre: El PSOE se incorpora al Comité Revolucionario.
12 de diciembre: Fermín Galán y García Hernández proclaman la República en Jaca.
14 de diciembre: Fusilamiento de ambos sublevados tras un juicio sumarísimo. Detención en Madrid de integrantes del Comité Revolucionario.
15 de diciembre: Fracasa el intento de sublevación republicana en Cuatro Vientos (Madrid).

1931

10 de febrero: Marañón, Ortega y Gasset y Pérez de Ayala firman el manifiesto de la «Agrupación al Servicio de la República».
14 de febrero: Dimisión de Berenguer.
18 de febrero: Aznar forma gobierno.
20 de marzo: Francesc Macià preside la recién fundada Esquerra Republicana de Catalunya.
12 de abril: Elecciones municipales con el triunfo republicano en las grandes ciudades.
14 de abril: Se constituye un Gobierno Provisional republicano. Alfonso XIII marcha al exilio. Proclamación de la II República. En Barcelona, Macià proclama la República Catalana.
15 de abril: Alcalá Zamora preside el Gobierno Provisional.
6 de mayo: Una subcomisión jurídica asesora queda encargada de redactar un proyecto de Constitución.
7 de mayo: El cardenal Segura, Primado de España y arzobispo de Toledo, lanza una pastoral antirrepublicana.
10-11 de mayo: Incendios de conventos e iglesias en Madrid, Valencia y otras ciudades.
30 de mayo: El embajador de España no recibe el *plácet* del Vaticano.
12-15 de junio: El gobierno expulsa del país al cardenal Segura.
14 de junio: Anteproyecto de Estatuto de Autonomía para Euskadi y Navarra.
16 de junio: Ley Azaña de «reforma del Ejército».
28 de junio: Elecciones generales a Cortes Constituyentes.
29 de junio: Cierre de la Academia Militar de Zaragoza.
4 de julio: Huelga de la Telefónica.
14 de julio: Apertura de las Cortes Constituyentes presididas por Besteiro. Entrega del proyecto constitucional.
20-27 de julio: Huelga general en Sevilla.
28 de julio: Jiménez de Asúa preside la comisión parlamentaria encargada de redactar el proyecto de Constitución.
2 de agosto: En Cataluña un plebiscito refrenda el Estatuto de Nuria.
9-15 de octubre: Dimisión de Alcalá Zamora y Miguel Maura tras las discusiones parlamentarias sobre la Constitución y sus artículos tachados de antirreligiosos. Azaña es el nuevo jefe de Gobierno.
19 de noviembre: El Rey es juzgado y condenado por las Cortes.
9 de diciembre: Se aprueba la Constitución.
12 de diciembre: Alcalá Zamora es nombrado presidente de la II República y Azaña jefe de Gobierno.
15 de diciembre: Aparece el primer número de «Acción Española».

1932

20-27 de enero: La CNT impulsa huelgas generales. La Ley del Divorcio queda aprobada Los cementerios son secularizados.
24 de enero: La Compañía de Jesús es disuelta y sus propiedades confiscadas.
10 de agosto: Fracasa la sublevación de Sanjurjo.
9 de septiembre: El Estatuto de Autonomía catalán es aprobado en las Cortes.

1933

Enero: En Cataluña y Casas Viejas —Cádiz— estallan motines anarquistas. La represión indiscriminada en esta última localidad ocasiona fuertes críticas al gobierno.
1 de marzo: Aparece Renovación Española.
Abril: Elecciones municipales.
Julio: Se deroga la Ley de Defensa de la República. Los obispos condenan la Ley de Congregaciones. Inician su tarea las Misiones Pedagógicas. Establecimiento de relaciones diplomáticas con la URSS.
Agosto: En Extremadura se queman cosechas.
4-5 septiembre: En la elección de vocales para el Tribunal de Garantías Constitucionales el Gobierno resulta derrotado.

} de septiembre: Azaña dimite.
12 de septiembre: Intento frustrado de Lerroux de formar gobierno.
) de octubre: Martínez Barrio forma gabinete.)isolución de las Cortes y convocatoria de uevas elecciones.
?9 de octubre: Se funda Falange Española.
19 de noviembre: Las derechas triunfan en las lecciones generales.
)iciembre: Santiago Alba preside las Cortes.
16 de diciembre: La CEDA propicia el gobierno Lerroux.
?5 de diciembre: Muerte de Macià. Le sustituye en la Presidencia de la Generalitat de Cataluña Lluís Companys.

1934

-ebrero: Falange se fusiona con las JONS. Se unda la Alianza Obrera.
} de marzo: Dimisión de Martínez Barrio como ministro de Gobernación. Huelga general en Zaragoza promovida por Durruti.
Abril: Ley de Haberes del Clero.
?5 de abril: La amnistía a Sanjurjo provoca una crisis y Lerroux dimite.
? de mayo: Gobierno Samper.
16 de mayo: Martínez Barrio abandona el Partido Radical de Lerroux.
12 de junio: Esquerra Republicana y PNV abandonan el Parlamento.
13 de septiembre: Prieto promueve el desembarco de armas en Asturias y es descubierto.
! de octubre: Dimite el gobierno Samper.
} de octubre: Lerroux forma gabinete con tres ministros de la CEDA.
) de octubre: La UGT convoca huelga general.
) de octubre: Sublevación en Asturias. Se decreta el Estado de Guerra. Companys proclama la «República catalana dentro de la Federación Española».
7 de octubre: Frustrado el levantamiento en Cataluña quedan en suspenso el Estatuto y el Gobierno Autónomo. Sus miembros son detenidos.

1935

! de febrero: Dos dirigentes del levantamiento asturiano son ejecutados.
13 de marzo: Llamamiento a la unidad de las izquierdas realizado por Marcelino Domingo.
30 de marzo: El indulto a los socialistas asturianos provoca la caída del gobierno.
} de abril: Nuevo gabinete de Lerroux con cinco hombres de la CEDA.
7 de mayo: Nombramiento de Gil Robles como ministro de la Guerra y de Portela Valladares como ministro de Gobernación.
?5 de octubre: Dimisión de Lerroux al conocerse el escándalo del «estraperlo». Le sustituye Chapaprieta.
14 de diciembre: Portela Valladares forma gobierno.
20 de diciembre: Coalición PSOE-Izquierda Republicana. Dimisión de Largo Caballero de la ejecutiva del PSOE.

1936

7 de enero: Disolución de las Cortes y convocatoria de elecciones.
15 de enero: Queda constituido el Frente Popular.
16 de febrero: Victoria electoral del Frente Popular.
19 de febrero: Azaña preside el nuevo gobierno con ministros republicanos solamente.
22 de febrero: Los presos políticos son amnistiados.
23 de febrero: Los arrendatarios agrícolas andaluces y extremeños suspenden los pagos de rentas.
26 de febrero: Restablecimiento de la Generalitat y el estatuto catalán. Franco es destinado a Canarias.
13 de marzo: Atentado frustrado contra Jiménez de Asúa.
15 de marzo: Detención de J. A. Primo de Rivera. Falange Española es declarada ilegal. Ultimátum militar a Azaña sobre los desórdenes. Martínez Barrio, presidente de las Cortes.
16 de marzo: Los latifundios andaluces, devueltos tras la Contrarreforma agraria, son confiscados.
1 de abril: Las Juventudes Socialistas y las Comunistas se unen y crean las Juventudes Socialistas Unificadas.
4 de abril: Azaña presenta su programa en la primera reunión de las Cortes.
7 de abril: Destitución de Alcalá Zamora.
14 de abril: En el debate parlamentario sobre orden público, Calvo Sotelo lanza graves acusaciiones contra el gobierno.
10 de mayo: Azaña, presidente de la República.
12 de mayo: Casares Quiroga forma gobierno.
16 de junio: Calvo Sotelo y Gil Robles pronuncian sendos discursos en las Cortes sobre los problemas de orden público.
12 de julio: El teniente Castillo muere asesinado.
13 de julio: Calvo Sotelo es asesinado.
17-20 de julio: Rebelión militar en Marruecos y, después, en la Península.
19 de julio: Franco viaja en avión a Tetuán para ponerse al mando del ejército de Africa.

18-20 de julio: Casares Quiroga dimite. Azaña le encarga a Martínez Barrio que forme nuevo gabinete y negocie con los rebeldes. Al dimitir éste, Giral se hace cargo de formar gobierno. Las milicias populares son armadas. Queipo de Llano conquista Sevilla, Cádiz, Algeciras y Jerez. Mola impone la ley marcial en Pamplona. Aranda toma Oviedo.
20 de julio: Sanjurjo muere en accidente aéreo.
21 de julio: Comienza el asedio del Alcázar de Toledo.
22 de julio: Casi toda Galicia está en manos de los sublevados.
23 de julio: Los socialistas y comunistas catalanes forman el PSUC.
24 de julio: Granada es ocupada por los golpistas.
25 de julio: Llega el primer envío de aviones franceses.
26 de julio: El Komintern acuerda ayudar a la República. Hitler concede ayuda militar a Franco.
28 de julio: Llegan aviones alemanes a Marruecos para el traslado de las tropas a la Península.
30 de julio: Llegan aviones italianos al norte de Africa.
Agosto: Duras batallas al norte de Madrid.
2 de agosto: Francia anuncia la No-Intervención.
6 de agosto: Franco en Sevilla. La Generalitat de Cataluña es reemplazada por el Comité de Milicias Antifascistas, de predominio cenetista.
12 de agosto: Llegan los primeros voluntarios de las Brigadas Internacionales.
15 de agosto: Gran Bretaña prohíbe la venta de armas a la República.
19 de agosto: Asesinato de García Lorca.
22 de agosto: Asalto a la cárcel modelo de Madrid y asesinato de prisioneros políticos.
23 de agosto: Se crean los tribunales del Frente Popular.
28 de agosto: Primer bombardeo aéreo de Madrid.
4 de septiembre: Giral dimite. Largo Caballero, presidente del Gobierno con socialistas, comunistas e Izquierda Republicana.
13 de septiembre: Cae San Sebastián.
24 de septiembre: La CNT se incorpora al gabinete autónomo catalán.
25 de septiembre: Los rebeldes decretan la prohibición de toda actividad política y sindical.
27 de septiembre: Finaliza el asedio del Alcázar. Toledo es ocupado por los franquistas.
29 de septiembre: Franco, Jefe del Estado y Generalísimo de los ejércitos.
30 de septiembre: La República crea el Ejército Popular.
1 de octubre: J. A. Aguirre, presidente de Euskadi.
7 de octubre: Decreto republicano de confiscación de las tierras de los rebeldes y sus colaboradores.
24 de octubre: Entran en acción por primera vez tanques rusos en el frente de Madrid.
31 de octubre: Hitler envía 100 aviones a los franquistas.
4 de noviembre: La CNT entra en el gobierno de Largo Caballero.
6 de noviembre: El gobierno republicano se traslada a Valencia. Miaja preside el Comité de Defensa de Madrid.
7-23 de noviembre: Asalto fracasado a Madrid por los franquistas.
18 de noviembre: Alemania e Italia reconocen el gobierno de Burgos.
19 de noviembre: Muere Durruti.
20 de noviembre: José Antonio es ejecutado.
6 de diciembre: Ataques aéreos al puerto de Barcelona.
22-23 de diciembre: Llegan a Cádiz los camisas negras italianos.

1937

3-17 de enero: Ante el ataque franquista por el oeste de Madrid, el gobierno ordena la evacuación de la población civil.
6 de enero: EE. UU. prohíbe la exportación de armas a la República.
17 de enero: Cae Marbella en manos de los franquistas.
5-24 de febrero: Batalla del Jarama, al sureste de Madrid.
7-8 de febrero: Cae Málaga en poder de los franquistas.
20 de febrero: El comité No-Intervención prohíbe alistarse para luchar por la República.
26 de marzo: Crisis en la Generalitat catalana ante las críticas anarquistas a la disolución del Ejército Popular.
30 de marzo: La Legión Cóndor bombardea Durango.
Abril: Ofensiva rebelde en el País Vasco.
18 de abril: Decreto de Unificación de Falange y los carlistas.
26 de abril: La Legión Cóndor bombardea Guernica.
3-7 de mayo: Enfrentamientos entre anarquistas y el POUM en Cataluña.
16 de mayo: Dimisión de Largo Caballero ante la oposición comunista.
17 de mayo: Negrín, presidente del gobierno.
3 de junio: Mola muere en accidente aéreo.

16 de junio: El POUM es declarado ilegal y sus dirigentes encarcelados.
19 de junio: Cae Bilbao en poder de los rebeldes.
1 de julio: Carta de adhesión de los obispos al régimen de Franco.
28 de julio: Los anarquistas salen de la Generalitat.
24 de agosto: Ofensiva republicana en el frente de Aragón.
26 de agosto: Cae Santander en manos de los rebeldes.
28 de agosto: El Vaticano reconoce al general Franco.
1 de septiembre: Los sublevados inician la ofensiva de Asturias.
1 de octubre: Destitución de Largo Caballero del comité ejecutivo del PSOE.
5 de octubre: Contraofensiva rebelde en Aragón.
17 de octubre: Duros ataques públicos de Largo Caballero contra la política de Negrín ante la guerra.
29 de octubre: El gobierno republicano se traslada a Barcelona.
12 de noviembre: La CNT se retira de los Comités del Frente Popular.
8 de diciembre: Barcelona es bombardeada.
15 de diciembre: Comienza el ataque republicano sobre Teruel.

1938
30 de enero: Franco constituye su primer ministerio.
9 de marzo: El gobierno «nacional» elabora la «Carta del Trabajo», consagrando el corporativismo mediante los sindicatos verticales.
10 de marzo. Ofensiva de los sublevados contra Aragón e intentos de alcanzar el Ebro y el Mediterráneo.
16-18 de marzo: Intensos bombardeos sobre Barcelona por aviones italianos.
17 de marzo: Reapertura frontera francesa.
28 de marzo: Prieto hace un llamamiento para iniciar negociaciones de paz.
3 de abril: Tropas marroquíes mandadas por Yagüe toman Lérida. Francia cierra de nuevo sus fronteras.
5 de abril: Negrín destituye a Prieto y asume el Ministerio de la Guerra.
7 de abril: Los rebeldes conquistan Tremp, enclave fundamental en el suministro eléctrico de Barcelona.
15 de abril: Quedan cortadas las comunicaciones entre Barcelona y Valencia al conquistar los rebeldes Vinaroz.
21 de abril: Comienza la ofensiva rebelde contra Valencia.
1 de mayo: Negrín hace públicos sus «Trece Puntos». Franco insiste en la rendición incondicional.
13 de junio: Cae Castellón.
24 de julio: Ofensiva republicana en el Ebro.
29 de septiembre: El acuerdo entre Mussolini, Hitler, Chamberlain y Daladier acaba con las esperanzas republicanas de recibir ayuda del exterior.
4 de octubre: Las Brigadas Internacionales abandonan el Frente.
16 de noviembre: El Ejército Popular se retira del frente del Ebro.
19 de noviembre: Concesión a Alemania del monopolio de explotación de las minas.
23 de diciembre: Los franquistas emprenden el ataque a Cataluña.

1939
Enero: El ejército rebelde toma Cataluña.
23 de enero: El gobierno republicano proclama la ley marcial.
25 de enero: Negrín se traslada con su gobierno a Figueras.
26 de enero: Cae Barcelona.
31 de enero: Cae Gerona.
1 de febrero: Ultima reunión de las Cortes en Figueras.
5 de febrero: Azaña, Martínez Barrio, Companys, Aguirre y otros muchos españoles cruzan la frontera.
7 de febrero: Negrín marcha a Francia. Miaja al frente de lo que queda del ejército republicano.
9 de febrero: Ley franquista de Responsabilidades Políticas.
10 de febrero: Ante la negativa de Franco a llegar a una solución pactada, Negrín regresa a Alicante para prolongar la resistencia.
27 de febrero: Por desacuerdo con la postura de Negrín, dimite Azaña y Martínez Barrio no acepta la Presidencia. Francia e Inglaterra reconocen el gobierno de Franco.
2 de marzo: Negrín reorganiza sus tropas poniendo a oficiales comunistas al mando de las mismas.
5 de marzo: En Madrid se establece el Consejo de Defensa Nacional, opuesto a Negrín, presidido por Besteiro.
7-12 de marzo: Duros enfrentamientos callejeros entre comunistas y partidarios del Consejo de Defensa, que incluye a las milicias cenetistas.
26 de marzo: Ofensiva final del ejército de Franco.
27 de marzo: Cae Madrid.
29-31 de marzo: Caen los últimos reductos republicanos.
1 de abril: La guerra ha terminado. EE. UU. reconoce a Franco.

Indice alfabético

Bibliografía

Azaña, Manuel: *Causas de la Guerra de España*. Crítica, Barcelona, 1986.

Cabrera, Mercedes: *La patronal ante la II República. Organizaciones y estrategia*. Siglo XXI, Madrid, 1983.

Carr, Raymond: *España, 1808-1975*. Ariel, Barcelona, 1979.

Casanova Ruiz, J.: *Anarquismo y revolución en la sociedad rural aragonesa. 1936-1938*. Siglo XXI, Madrid, 1985.

Castillo, J. J.: *El sindicalismo amarillo en España*. Cuadernos para el Diálogo, Madrid, 1977.

García Delgado, J. L., editor: *La II República española. El primer bienio*. Siglo XXI, Madrid, 1987.

— *La II República española. Bienio rectificador y Frente Popular, 1934-1936*. Siglo XXI, Madrid, 1988.

Gibson, Ian: *La noche en que mataron a Calvo Sotelo*. Vergara, Barcelona, 1982.

Gómez Portillo, Manuel: *La cuestión agraria en la España contemporánea*. Cuadernos para el Diálogo, Madrid, 1976.

Jackson, G.: *Aproximación a la Española contemporánea (1898-1975)*. Grijalbo, Barcelona, 1978.

— *Breve historia de la Guerra Civil española*. Grijalbo, Barcelona, 1985.

— *Costa, Azaña, el Frente Popular y otros ensayos*. Turner, Madrid, 1976.

— *La República española y la Guerra Civil*. Mundo Actual, Barcelona, 1978.

Juliá, Santos: *La izquierda del PSOE (1935-1936)*. Siglo XXI, Madrid, 1977.

— *Madrid, 1931-1934. De la fiesta popular a la lucha de clases*. Siglo XXI, Madrid, 1984.

— *Orígenes del Frente Popular en España (1934-1936)*. Siglo XXI, Madrid, 1979.

Malefakis, Edward: *Reforma agraria y revolución campesina en la España del siglo XX*. Ariel, Barcelona, 1976.

Maurice, Jacques: *La reforma agraria en España en el siglo XX (1900-1936)*. Siglo XXI, Madrid, 1978.

Montero, J. R.: *La CEDA. El catolicismo social y político en la II República*. Ministerio de Trabajo, Madrid, 1977.

Preston, Paul: *La destrucción de la Democracia en España*. Turner, Madrid, 1978.

Salas Larrazábal, R. y J. M.: *Historia General de la Guerra de España*. Rialp, Madrid, 1986.

Tuñón de Lara: *La II República*. Siglo XXI, Madrid, 1976.

Tussel, Javier y Avilés, Juan: *La derecha española contemporánea. Sus orígenes: el maurismo*. Espasa-Calpe, Madrid, 1986.

Vilar, Pierre: *La Guerra Civil española*. Crítica, Barcelona, 1986.

Viñas, Angel: *La Alemania nazi y el 18 de julio*. Alianza Editorial, Madrid, 1977.